BLANCHE ET LUCIE

Aux éditions Fayard :
Blanche et Lucie, roman, 1976.
Le Cahier volé, roman, 1978.
Contes pervers, nouvelles, 1980.
Les Enfants de Blanche, roman, 1982.
Lola et quelques autres, nouvelles, 1983.
Sous le ciel de Novgorod, roman, 1989.
La Bicyclette bleue, roman, 1981.
101, avenue Henri-Martin (*La Bicyclette bleue*, tome II), roman, 1983.
Le Diable en rit encore (*La Bicyclette bleue*, tome III), roman, 1985.
Noir Tango, roman, 1991.
Rue de la Soie, roman, 1994.

Aux éditions Jean-Jacques Pauvert :
O m'a dit, entretiens avec l'auteur d'*Histoire d'O*, 1975.

Aux éditions du Cherche-Midi :
Les cent plus beaux cris de femmes, 1980.
Poèmes de femmes, anthologie, 1993.

Aux éditions Nathan :
Léa au pays des dragons, conte et dessins pour enfants, 1991.

Aux éditions Ramsay :
L'Apocalypse de saint Jean, dessins pour enfants, 1985.
Ma cuisine, livre de recettes, 1989.

Aux éditions de la Table ronde :
La Révolte des nonnes, roman, 1980.

Aux éditions Albin Michel/Régine Deforges :
Le Livre du point de croix, en collaboration avec Geneviève Dormann, 1987.
Marquoirs, en collaboration avec Geneviève Dormann, 1987.

Aux éditions Albin Michel :
Pour l'amour de Marie Salat, roman, 1987.

Aux éditions du Seuil :
Le Couvent de sœur Isabelle, livre illustré pour enfants, 1991.
Léa et les diables, livre illustré pour enfants, 1991.
Léa et les fantômes, livre illustré pour enfants, 1992.

Aux éditions Plume :
Rendez-vous à Paris, illustré par Hippolyte Romain, 1992.
L'Agenda 1993 du point de croix, 1992.
L'Agenda 1994 du point de croix, 1993.

Aux éditions Hoëbeke :
Toutes belles, sur des photos de Willy Ronis, 1992.

Aux éditions de l'Imprimerie nationale :
Juliette Gréco, sur des photos d'Irméli Jung.

Spengler Éditeur :
Paris chansons, photographies de Patrick Bard, 1993.

Aux éditions Calligram :
Les Chiffons de Lucie, livre illustré pour enfants, 1993.

RÉGINE DEFORGES

Blanche et Lucie

ROMAN

LE GRAND LIVRE DU MOIS

IL A ÉTÉ TIRÉ DE CET OUVRAGE
VINGT-CINQ EXEMPLAIRES SUR
PAPIER ALFA MOUSSE DES PAPE-
TERIES NAVARRE DONT QUINZE
EXEMPLAIRES NUMÉROTÉS DE
I À XV RÉSERVÉS À LA VENTE
ET DIX EXEMPLAIRES HORS
COMMERCE NUMÉROTÉS DE 1
À 10, LE TOUT CONSTITUANT
L'ÉDITION ORIGINALE.

*A la mémoire
de mes deux grand-mères.*

Certains faits et personnages de ce livre sont vrais, d'autres non. Je ne sais plus très bien lesquels. Cela n'a en fait aucune importance. L'enfant confond souvent le rêve et la réalité. C'est mon cas. Je n'ai pas fini de grandir.

BLANCHE et Lucie, mes deux grand-mères, étaient très jolies.

Blanche avait des cheveux châtains, des yeux bleus très pâles. Sa mère l'avait abandonnée, quand elle avait trois ans, pour suivre l'homme qu'elle aimait. De ce temps, Blanche a gardé le souvenir d'un grand froid. Du froid de la glace qu'il fallait casser pour se laver, dans le sinistre pensionnat d'une petite ville de l'Est.

Blanche ne s'est jamais consolée d'avoir été abandonnée par sa mère. Plus tard, bien plus tard, sa mère est revenue. Mais toute sa tendresse ne put venir à bout de la froideur de Blanche.

Lucie est une paysanne. Elle est rousse. Sa

peau est blanche sans taches de rousseur. Elle a un grand rire. Ses yeux sont bleus, bleus comme le ciel du Poitou un jour d'été, de bel été. Lucie, c'est la vie. Lucie, c'est la terre. Lucie, c'est le désir. Son appétit des choses et des gens la rend invulnérable.

Blanche, de par son milieu, est une petite bourgeoise, un peu guindée, qui se tient très droite dans son corset, la tête haute, le regard fier. Sa bouche est cependant sensuelle. Son regard émeut par l'inquiétude qu'on y lit. Blanche fait partie de celles dont on ne parle pas, bien qu'elle soit belle. Son maintien est modeste et altier à la fois, mais elle reste en deçà de son apparence, en deçà d'elle-même.

Lucie éclate. Blanche retient.

J'ai de ces deux grand-mères beaucoup de points communs. Comme elles, je suis jolie. Comme Lucie, je suis rousse et j'ai la peau très claire, sans taches de rousseur. Comme Blanche, j'ai cette inquiétude dans le regard. De Lucie, j'ai la familiarité, le rire insolent, les gestes larges, ouverts. De Blanche, j'ai une certaine retenue, comme si j'avais peur que l'on ne me prenne plus que ce que je veux donner. C'est d'ailleurs presque toujours le cas.

Je dois à Lucie ma passion des livres. Lucie avait toujours un livre dans la poche de son tablier. Et, quand elle allait aux champs garder les vaches, accompagnée de son grand chien noir, elle s'asseyait au pied d'une haie, à l'écart souvent des autres femmes. Elle sortait de sa poche une de ces petites publications mal imprimées, à vingt centimes, à la couverture illustrée, et se perdait dans sa lecture. Ces petits livres avaient été lus et relus. Ils étaient sales, déchirés, usés. Dans les greniers à grains de la ferme, il y avait des « maies », de grands coffres pleins de livres d'où sortait une forte odeur de moisi quand on en soulevait le couvercle. Leur découverte a été pour moi un des moments les plus extraordinaires de mon enfance. Toute la littérature était là : la pire et la meilleure. Victor Hugo et Paul Féval, Lamartine et Zévaco, Balzac et Georges Ohnet, Jules Verne et Xavier de Montépin, George Sand et Delly, Voltaire et Léo Taxil, Zola, Daudet, Gautier, Gaston Leroux, Maurice Leblanc, Gyp, Rachilde, Dumas... J'ai lu par dizaines des romans d'amour larmoyants, de rocambolesques romans d'aventures. Lucie les avait tous lus, tous dévorés. Bien sûr elle ne lisait pas autant qu'elle le voulait, la vie

de la terre était dure en ce temps-là. Il fallait
s'occuper des bêtes et des hommes. Les bêtes
passaient toujours avant les hommes. Les femmes venaient bien après. Lucie ne s'en plaignait
pas. Mais, de temps en temps, elle explosait.
Elle errait seule à travers champs des heures
durant, ou elle partait seule à la ville. Elle
mettait son chapeau, elle prenait le car. Elle
ne disait pas où elle allait. Moi, je sais qu'elle
n'allait nulle part. Je sais qu'elle n'allait pas
rejoindre un homme, si fort pouvait être son
désir d'être caressée et consolée de la peine à
vivre une dure vie. Mais elle aimait Alexandre,
son mari. Elle l'aimait follement, ne songeant
pas qu'elle aurait pu aimer ailleurs. La vie de
tous les jours la limitait : son homme, ses
enfants, ses vaches, ses poules, ses cochons, son
jardin, son âne. Tout ça était par moments bien
lourd pour la jolie rousse qui avait envie de
bals, de rires et de temps pour lire et rêver.
Le travail de la ferme interdisait le rêve.

Blanche, sagement, le dimanche, se prome-
nait avec son frère sur les bords du Cher ou le
long du canal. Le long du canal... ce canal où
Louise, sa mère, par désespoir d'amour, se jeta
un jour. J'ai pour cette aïeule, morte d'amour,

une immense tendresse, une tendre pitié. Je lui ressemble aussi quelque peu. Comme elle, pour l'homme que j'aimais, j'aurais pu tout quitter et mourir.

Mais Blanche, la jolie Blanche, à petits pas le long du canal, les yeux baissés, frissonnait en regardant son reflet dans l'eau. Longue silhouette vêtue de noir, mince, si mince.

Blanche ne lisait pas. Elle allait à la messe, aux vêpres. Elle priait pour sa mère, pour le péché de sa mère. Pour que Dieu absolve ce crime qui ne peut être absous.

Elle s'asseyait sur un banc, au bord de l'eau, les mains gantées sagement posées sur ses genoux, le regard lointain. Elle pensait à ses noces. A Léon qu'il avait fallu attendre si longtemps. A cette nuit où, sa mère voulant l'aider à dégrafer son corset, elle avait dit, rougissant :

« Laissez, maman, ce sera Léon qui le fera. »

Je ne connais pas de manifestation plus grande de sensualité que cette simple phrase d'une jeune mariée d'autrefois. Quelle connaissance inconsciente de l'amour ! Du désir de l'homme ! De son propre désir !

J'ai souvent rêvé autour de cette phrase. On

dit que les enfants ne supportent pas d'évoquer la sexualité de leurs parents. C'était mon cas, sauf en ce qui concernait mes grand-mères. J'aurais tout voulu savoir d'elles. Comment elles faisaient l'amour, comment elles aimaient être caressées. Leurs bouches s'égaraient-elles sur le corps de leurs maris-amants ? Criaient-elles dans le plaisir ? Ou gémissaient-elles ? Ou se taisaient-elles ? Lucie devait crier. J'entends ses cris. Blanche devait serrer les lèvres très fort pour empêcher ses gémissements de sortir. Mais je suis sûre que l'une, comme l'autre connut le plaisir. Il y a des gestes, des regards, des paroles qui ne trompent pas chez une femme devenue vieille. Une langueur, une douceur, une mollesse qui prouvent que ces femmes ont été aimées et bien aimées. Oh ! pas autant qu'elles l'auraient désiré. Tout l'amour que l'on peut nous donner n'est rien en comparaison de celui auquel nous aspirons. Notre corps est vaste comme la mer. Notre désir infini comme le ciel.

Pourquoi les hommes, tout le long d'une longue vie, ne nous comblent-ils pas de leurs caresses. Leur désir est-il moins fort que le nôtre ? Leurs rêves plus vite déçus ?

Je n'ai pas souvenir d'avoir vu Blanche rire
aux éclats ou cajoler un enfant. Je revois sa
longue silhouette noire, ses cheveux coiffés en
bandeaux, ses mains fines et sèches, son ruban
noir ou blanc autour de son cou. Pourquoi
était-elle toujours vêtue de noir ? De qui portait-
elle le deuil ? De quoi ? De sa mère double-
ment pécheresse ? De son enfance vide d'affection ? Bien sûr, Léon et les huit enfants nés
de ce mariage d'amour ont réchauffé son cœur
et son corps. Mais pourquoi frissonnait-elle parfois, le regard noyé, les lèvres serrées comme
pour retenir un cri ?

Je n'ai aimé Blanche que morte. J'ai aimé
Lucie dès que je l'ai connue. Sous sa rudesse
paysanne, elle cachait les élans d'un cœur
généreux. Comme Blanche, elle était avare
de caresses, mais son corps donnait envie de
se blottir contre lui. Toute petite, quand par
chance je dormais à la ferme, dans son grand
lit, j'ai connu la volupté de l'enfoncement dans
le chaud et le mou. Je devais, pour atteindre
ce haut lieu, me hisser sur une chaise et me
laisser basculer sur les matelas de plume. Alors
là, enfoncée entre ces murs moelleux et blancs,
qui me dissimulaient toute et cachaient la

lumière, sous le gros édredon de satinette rouge, j'entreprenais de fabuleux voyages, bercée par les voix de plus en plus lointaines, le choc assourdi du tisonnier sur la pierre de l'âtre et le crépitement joyeux du feu dans la cheminée.

De ce mol navire, j'ai vu le monde. Monde des fées, des galipotes, des diables et des jeteurs de sorts. Combien de fois ai-je été enlevée par des bohémiens et emmenée dans des pays lointains dont je devenais la reine, ou bien, sauvée par un jeune homme très beau qui m'aimait et m'épousait ; ou alors, c'était un monstre que ma beauté mettait à ma merci et qui devenait mon esclave. Quelquefois, l'été, l'excitation de la journée retardait le sommeil. Je m'asseyais alors et, le nez au ras du mur de plume, je regardais la salle éclairée par le feu et la médiocre lumière de la suspension. Lucie faisait cliqueter ses aiguilles d'acier en tricotant ses bas pour l'hiver dans la rude laine du pays à l'odeur forte, qu'elle avait filée elle-même avec un fuseau semblable, du moins je le crois, à celui de la Belle au Bois dormant. J'ai appris d'elle à filer la laine et à tricoter, avec cinq aiguilles, des chaussettes.

Qui n'aurait compris ma brutale émotion,

quand, l'année dernière, me promenant avec des amis dans un petit village grec, au détour d'une ruelle, j'ai vu trois vieilles femmes vêtues de noir, la masse de laine brute sous le bras, faire tourner avec dextérité le fuseau sur lequel s'enroulait le fil régulier. Je possède un fuseau.

Les hommes, autour de Lucie, parlaient des travaux en cours, de l'orage qui menaçait, en buvant l'épais vin rouge de LA vigne et en fumant de ce tabac qui tachait si fort les doigts quand on enfilait les grandes et belles feuilles vertes sur des fils de fer pour les faire sécher. Tant que le tabac restait pendu dans le grenier, Lucie me défendait d'y monter, disant que l'odeur me tournerait la tête et que je pourrais tomber de l'échelle. J'y grimpais en cachette tant j'aimais le vertige que me donnait ce parfum âcre et fort. Lucienne, la fille de Lucie, triait les haricots blancs que nous mangerions le lendemain, cuits avec le lard du dernier cochon tué, les belles tomates du potager, l'ail et le bouquet d'herbes, sans lesquels il n'est pas de bons haricots. Rien que de les voir, polis, dodus et si blancs, la salive me venait à la bouche à l'évocation du plaisir de demain quand, dans une grande assiette creuse, avec un

filet de vinaigre de vin, je mangerais ce plat
pourtant bien simple, mijoté dans la cheminée
à petit feu dès six heures le matin, et qui aurait
ce goût jamais retrouvé de la fumée des sar-
ments et des souvenirs de l'enfance.

Lucie s'apercevait très vite que je ne dormais
pas. Elle se levait, me recouchait en disant :

« Il faut dormir, petite.

— Viens, toi aussi. »

Elle riait alors et selon son humeur me prenait dans ses bras, m'asseyait sur ses genoux
et me racontait une histoire qui immanquablement m'endormait. Ou bien l'heure étant venue,
elle renvoyait Lucienne et les hommes, éteignait
la lumière et, éclairée seulement par le feu
mourant de la cheminée, elle se déshabillait lentement, posant ses vêtements pliés sur une
chaise. Elle mettait une longue chemise de coton
blanc au col et aux poignets ornés d'une rude
dentelle, grimpait sur le marchepied et se glissait dans le lit. Sous son poids, les matelas se
creusaient encore davantage. Elle faisait un signe
de croix, me donnait un baiser sur le front et
s'endormait très vite. Je n'osais pas bouger tant
j'avais peur de rompre le charme. Je me blot-
tissais peu à peu contre elle. J'aimais son odeur,

mélange de linge fraîchement lavé et repassé, de lilas (Lucie aimait les parfums de fleurs) et surtout de blé. Cette rousse sentait le blé, le bon pain. Cela donnait envie de la pétrir, de la manger. Je sais que de nombreux hommes ont eu cette envie-là quand ils la rencontraient au lavoir, levant et abaissant ses beaux bras blancs, la nuque baissée sur la planche à laver, couronnée de l'or de ses cheveux relevés. Ou, quand aux repas de moissons ou de vendanges, elle passait parmi les tables, accorte et rieuse, versant à boire aux hommes en sueur, rendus plus rouges encore par son parfum et le sillon luisant de sa poitrine qu'ils apercevaient quand elle se penchait pour les servir.

Blanche me donnait la main pour traverser la grand-rue et monter l'escalier qui menait à l'église. La messe était toujours commencée quand nous arrivions. Elle se mettait dans la travée de droite sous le vitrail représentant saint Michel terrassant le dragon. J'ai fait, là aussi, de beaux voyages et j'ai accompli de grands exploits : j'aidais l'archange dans son combat

avec le démon ; je baignais de larmes les pieds
de Jésus, lui offrant ma vie en échange du
bonheur des hommes ; j'allais de par le monde
soigner les lépreux, évangéliser les sauvages qui
me faisaient prisonnière et menaçaient de me
tuer. Au dernier moment, mon ange gardien
m'enlevait à mes bourreaux et je me retrouvais
dans les bras du divin époux qui me baisait les
lèvres en me disant :

« Tu es à MOI. »

Arrivée à cette partie du voyage, j'étais envahie d'une grande langueur, mes genoux tremblaient et mon corps s'affaissait. Blanche a toujours cru que l'odeur de l'encens me tournait
la tête. Pouvais-je lui dire que le désir de Dieu
me faisait au creux du ventre une sensation
humide et voluptueuse et que j'aimais particulièrement cet épisode sur lequel je revenais com-
plaisamment et qui me procurait toujours ce
plaisir innommé que je croyais être la manifestation de l'amour de Dieu ? C'est sans doute
pour cela que j'ai toujours parlé à Dieu comme
je parle à mes amants, avec abandon et familiarité.

En sortant de la messe, Blanche m'emmenait à la pâtisserie, où je mangeais un énorme

chou à la crème. Blanche parlait de choses
et d'autres avec la pâtissière, ou avec une personne de connaissance, des événements de la
ville. C'était le mariage de la fille de La-Marie-
Nue-Tête avec le Chaboisseau ou la dernière
fredaine de La-Belle-En-Cuisse avec le gros G.
Elles faisaient le tour de toutes les petites misères, de tous les petits bonheurs de ma ville
natale. C'était le seul jour où Blanche s'attardait
à bavarder. On la disait fière, peu « causeuse »,
mais quelle allure !

Quelquefois, quand le temps était beau,
l'après-midi, nous allions sur les bords de la
Gartempe, dans le pré du père Duché. En ce
temps-là, le pré était très beau, bordé du côté
de la route par de grands platanes et sur le bord
de la rivière de toutes sortes d'arbres et d'ar-
bustes aux branches desquels je me pendais
avant de sauter dans l'eau peu profonde. J'aimais particulièrement un gros rocher au milieu
de la rivière, que des générations d'enfants
avaient poli de leurs jambes nues, lui donnant
la forme douce d'un sein de géante. Assise, les
bras entourant mes jambes pliées, je restais de
longs moments à me laisser engourdir par le
bruit et l'odeur de l'eau.

Parfois, me voyant si immobile, une libel-
lule bleue, verte ou dorée se posait sur mon
genoux. Je retenais mon souffle, émue par tant
de fragile beauté. La voix de Blanche me rappelait aux réalités :

« Viens faire quatre-heures, petite. »

C'était rare que Blanche eût à me rappeler
une seconde fois. J'accourais dans un grand
jaillissement d'eau et me laissais tomber sur
l'herbe. Elle sortait de son grand sac noir un
pochon de papier brun qu'elle me tendait. J'en
retirais deux grandes tartines beurrées, collées
l'une à l'autre pour empêcher le chocolat grossièrement râpé de tomber. J'adorais ce goûter
presque autant que celui que me préparait Lucie : une graissée de fromage blanc de chèvre,
frottée à l'ail.

J'ai toujours attaché une énorme importance
aux nourritures, à la préparation des aliments.
J'y vois une forme de savoir-vivre, de savoir-
aimer. Les repas sont pour moi des moments
privilégiés de la journée. Une mauvaise cuisine
me plonge dans une tristesse sans doute exces-
sive, mais bien réelle.

De mon enfance, mi-paysanne, mi-bourgeoise,
j'ai gardé le goût des plats simples, longuement

mijotés, dont le parfum envahit lentement la maison : le classique pot-au-feu, le solide petit salé aux choux, les civets, les soupes, les ragoûts, les champignons parfumés, tout ce que Blanche et Lucie préparaient pour leur nombreuse maisonnée.

Blanche avait deux coiffures. Une de jour. et une de nuit. Quand j'étais chez elle, je couchais dans son lit et j'aimais la regarder défaire ses bandeaux, brosser longuement ses cheveux, les natter et les fixer par une épingle sur le sommet de sa tête. Comme Lucie, elle portait une longue chemise blanche, mais de fine batiste. Elle m'impressionnait beaucoup ainsi. Elle ressemblait à une fée de mes livres. Cette longue robe blanche la rajeunissait tout en la rendant irréelle.

« Pourquoi tes robes sont-elles toujours noires ? »

Elle me souriait sans répondre ou me disait : « C'est comme ça. »

Lucie aussi était toujours vêtue de noir. Mais, sur elle, ce noir n'était pas aussi noir. Comme elles, je suis souvent habillée de noir. Non comme elles, par souci d'économie (c'était ça la vérité en fait, plus que les mœurs du temps), mais pour l'éclat que ces sombres vêtements donnent à ma peau et à mes cheveux, et pour la distance qu'inconsciemment ils imposent aux autres. Le noir me protège, m'exalte et m'oblige à une rigueur de comportement. On n'est pas la même, vêtue de blanc, de rose, de vert ou de bleu. On devrait aider les femmes à trouver « leur » couleur, celle qu'elles habiteront bien, qui les rendra harmonieuses. Le noir est ma couleur.

L ucie ne vit le médecin que pour mourir, n'ayant eu affaire, du moins pour elle, qu'au rebouteux et à la sage-femme. Sagesse ? Peut-être. Lucie connaissait les simples. Elle m'emmenait quelquefois avec elle, en été, tôt le matin dans les bois, près de la source, au fond tapissé de pièces de monnaie, appelée la Font de Miracle, au lieu-dit les Breuias. Là, elle commençait sa récolte de racines, de fleurs sans nom, d'herbe velue. Elle disait, se parlant à elle-même :

« Ah, celle-là, c'est bon pour les reins. Voilà pour Lucienne qui a toujours mal au ventre et pour André qui n'arrête pas de tousser. Avec celle-là je ferai une pommade contre les coups. »

Je lui tendais aussi ma cueillette qu'elle rejetait presque entièrement sauf deux ou trois brins qui lui faisaient dire :

« Aurait-elle le don, cette petite ? »

On revenait en chantant : *C'était Anne de Bretagne* ou *Le gentil coquelicot* ou *A la claire fontaine* ou les chansons à la mode de son jeune temps comme *Frou-frou* ou *Le temps des cerises.*

Nous riions sous nos grands chapeaux de paille. Car le soleil montait vite et cognait dur. Nous étions parties au petit matin, dans la rosée, l'air piquant un peu, nous revenions en compagnie du jeune et chaud soleil.

La grande cour de la ferme était déjà pleine d'activité. Les deux grands bœufs roux déjà attelés, les vaches avaient donné leur lait, les chèvres aussi ; on entendait grincer la chaîne du puits, les poules, les coqs, l'âne, les gens faisaient un charivari plein de joie.

Nous avions juste le temps d'avaler soit un bol de lait chaud dans lequel on émiettait du pain ou une assiette du reste de soupe de la veille.

On me hissait dans la charrette, et là, sur une rude couverture ou des sacs de jute, je m'endormais malgré les cahots du chemin plein d'ornières. Arrivés au lieu de travail : fenaison, moisson, vendanges, Lucie me réveillait, me

soulevait bien haut dans ses bras, comme pour
me lancer dans le ciel en disant :

« Aù travail, paresseuse. »

Encore endormie, je m'asseyais, cherchant des
sauterelles, des trèfles à quatre feuilles. Mais
très vite je rejoignais les autres. On parlait peu
durant le travail des champs. Chacun accomplissait sa tâche rapidement et en silence.

Vers dix heures, l'on s'arrêtait pour une petite
collation et l'on s'asseyait à l'ombre, sous l'arbre
le plus proche. Lucie apportait un lourd panier
d'où elle sortait, enveloppé d'un linge blanc,
des morceaux de poulet ou de lapin froids et
ces petits fromages de chèvre très secs qu'elle
faisait elle-même et que je mangeais avec gourmandise. Plus jamais je n'en ai mangé d'aussi
bons. Chacun sortait de sa poche son couteau,
l'ouvrait et coupait, à la miche de pain, un
morceau à la mesure de son appétit, le tout
accompagné d'une piquette bien fraîche.

J'aimais ce court instant de repos. Mais
très vite, leur couteau essuyé à la jambe de
leur pantalon, les hommes reprenaient le travail.

C'était l'heure où Lucienne venait nous chercher, Lucie et moi, avec la carriole à âne, car

Lucie devait rentrer pour préparer le dîner des travailleurs.

Cela, c'était lors des travaux courants. Mais pour les grands travaux de la campagne : moissons et vendanges, les femmes de la ferme s'affairaient depuis la veille dans la préparation des repas où se retrouvaient tous les « bras » du hameau. Il fallait nourrir durant tout le temps des moissons ou des vendanges une vingtaine de garçons et presque autant de filles.

Dès trois heures du matin, la salle de la ferme ressemblait à la place d'un marché encombrée et piaillante.

Du grand lit, car tant de bruit me réveillait, j'observais ce qui me semblait être les préparatifs du repas de l'Ogre.

C'était des poulets par dizaines, des lapins, des canards, des pintades, des kilomètres de saucisses sèches, des monceaux de viande saignante, des paniers débordants de prunes, d'abricots, de tomates, de pommes de terre roulant sous le lit, et il fallait chasser les chats, devenus fous par tant de bonnes odeurs. Pour ces circonstances, on allumait la grande cuisinière de fonte. Rapidement, il faisait une chaleur insupportable. Le ton des voix montait et je savais par expérience que je devais me faire oublier sous peine de recevoir quelque taloche ou coup de serviette sur les jambes. J'attendais donc, écœurée par les odeurs diverses qui emplissaient peu à peu la pièce. Je me rendormais.

Quand je me réveillais, il n'y avait plus que Lucie et deux ou trois femmes venues des fermes voisines pour aider, tout comme Lucie irait aider quand ce serait au tour des autres fermes de moisonner ou de vendanger.

Ces matins-là, j'étais trop nourrie d'odeurs pour pouvoir avaler quoi que ce soit. Lucie m'apportait une cuvette d'eau froide dont j'étais censée me servir pour faire ma toilette. J'enfilais une culotte, une petite robe de toile rose ou bleue, mes vieilles sandales. Lucie me brossait les cheveux, grognant après ces « frisettes » qu'elle n'arrivait pas à démêler. Après quelques cris et parfois quelques larmes, elle me libérait. Je me précipitais dehors. Le soleil était déjà haut.

Les premières charrettes chargées de bottes de blé arrivaient. Dans l'aire la batteuse se mettait en marche.

J'aimais beaucoup regarder les hommes enfourner dans l'énorme gueule de la machine les belles gerbes de blé. Le plus beau et le plus fort était Marcel, au torse puissant et bronzé, qui enlevait sans effort apparent les gerbes, faisant saillir les muscles de son dos et de ses bras. Il riait fort et haut, montrant l'éclat de ses dents blanches. Ses cheveux blonds recouverts peu à peu de la poussière du blé, buvant de grands coups aux bouteilles de piquette que lui tendaient les filles. Plus d'une avait l'œil brillant en le regardant. Il le savait, le bougre, qui ne ménageait pas ses œillades aux plus accortes de mes cousines. J'enrageais d'être si petite. J'étais sûre qu'il m'aurait préférée à toutes et que c'est avec moi qu'il aurait fait la sieste.

Dans ses moments de pause, quand il était remplacé par un autre, je me glissais près de lui. Il me prenait dans ses bras, me faisait sauter en l'air ou m'asseyait sur ses genoux. Je mettais alors mes bras autour de son cou, je le mordillais, je le léchais. J'aimais le goût salé de sa sueur. Je tortillais entre mes doigts les poils de sa poitrine, irrésistiblement attirée par la bosse sur le devant de son pantalon. Je me faisais lourde contre elle, il me semblait qu'elle changeait de forme ou de place. Marcel devenait alors plus sérieux, comme gêné, et avec un drôle de rire me posait par terre. Déçue, je m'accrochais à lui, mais il me repoussait et rejoignait le groupe des filles avec lesquelles il échangeait des plaisanteries et des bourrades.

L'heure tant attendue du dîner approchait. Les hommes allaient s'asperger d'eau la poitrine et les bras à la grande auge de pierre.

Les femmes commençaient la procession des plats.

Je me mettais aux tables des hommes qui se poussaient pour me faire une petite place. Soucieux des convenances, ils avaient remis leurs chemises et retiré leurs casquettes, bérets ou chapeaux. Ils avaient presque tous le haut de la tête plus clair que le visage. Ils étaient comme scalpés.

J'aimais ces rudes présences masculines, ces grandes mains calleuses, ces épais pantalons de velours. J'aurais voulu qu'ils me prennent dans leurs bras à tour de rôle, qu'ils me chatouillent le corps avec leurs moustaches brunes ou blondes, qu'ils me pétrissent de leurs mains rêches, qu'ils sucent mes seins inexistants et entrouvrent mon sexe imberbe. Je connaissais l'émotion qui se cachait là, mais j'aurais aimé que ce soit un autre doigt que le mien, une autre langue que celle du chien de Lucie qui me la procure.

J'étais très provocante avec ces hommes. Toujours dans leurs jambes, comme disait Lucie que mon manège amusait et agaçait un peu. J'étais au comble du bonheur quand l'un d'eux me prenait sur ses genoux, me laissait manger dans son assiette et boire dans son verre. Si de sa grande main rugueuse il me tenait par la nuque, je me laissais aller, alanguie, les yeux mi-clos, toute au délice qui m'envahissait.

Ce simple geste est un de ceux que j'espère et redoute le plus car il me soumet presque immanquablement au désir de l'homme. La gorge sèche, le cœur battant, les mains ballantes, les jambes molles, le ventre taraudé du désir d'être comblé, envahi par le sexe de l'homme, cette main me transmet des ordres auxquels je ne peux qu'obéir.

Le repas se poursuivait avec lenteur. Les jeunes filles posaient sur les longues tables de bois recouvertes de draps bien blancs de grands paniers remplis de saucissons, d'andouilles, de boudins, des terrines de canards, de lapins, des rillettes circulaient. Chacun se servait copieusement. Au début on n'entendait que le bruit des mâchoires et celui des goulots de bouteille cognant contre les verres. A l'arrivée des premières viandes, rôtis de bœuf, de porc, des volailles, les conversations s'animaient. Après les légumes, la salade, les fromages et les tartes, on ne s'entendait plus. De temps en temps, le rire aigu d'une fille perçait le brouhaha.

Comment pouvait-on avaler de telles quantités de nourriture ? Il est vrai que c'étaient les seuls repas vraiment copieux que ces hommes et ces femmes, rudes travailleurs, avaient l'occasion de faire en dehors des repas de noces ou d'enterrements.

Après le dîner, le dernier verre d'alcool de prune avalé, les hommes sortaient d'un pas lourd et, ensemble, allaient derrière le mur de la grange, pisser d'abondance. Certains s'allongeaient en rond, autour du vieux chêne ou sous le tilleul devant la maison, la casquette ou le béret roulé sous la nuque ou abaissé sur le visage. Très vite leurs ronflements montaient.

Les plus jeunes tentaient d'entraîner les filles dans le foin ou dans les chemins creux. Quand les couples s'étaient constitués, j'en choisissais un et je le suivais. Je suivais presque toujours celui qui allait dans la grange à foin, au-dessus de l'étable, car les cachettes y étaient nombreuses et j'aimais l'odeur du foin. Là, cachée dans la masse odorante, j'observais, attentive, les gestes du garçon.

Il défaisait un à un les six ou sept boutons du sarreau à petits carreaux ou à fleurs de la fille, soulevait la combinaison en toile de parachute, enlevait la culotte de coton blanc ou rose.

Quand je voyais apparaître l'épaisse toison de la fille, mon ventre se creusait. J'aurais voulu fouiller dans cette masse, mettre mes doigts, ma main, mon bras, entrer toute dans la fente luisante et entrouverte.

Le garçon semblait avoir le même désir. Sous ses doigts, la fille poussait de petits cris, riait de ce rire chatouillé, exaspérant et tellement excitant. Mais, très vite, il détachait la boucle de son ceinturon, déboutonnait sa braguette et sortait ce que je nommais une queue, de son pantalon. Il se mettait sur la fille et je voyais ses fesses blanches s'agiter de plus en plus vite, ce qui me donnait envie de rire.

J'aurais tant aimé que ce soit à moi qu'il fasse cette « chose »-là. J'étais prête. Tout mon corps d'enfant réclamait les soins que l'on prodiguait aux plus grandes. Combien de temps faudrait-il encore attendre pour avoir une queue, moi aussi ?

D'autant qu'une fois, il avait fallu peu de chose pour que je connusse ce qui rendait le regard des filles si vague.

Je m'étais endormie dans cette même grange, un livre à la main. Quand un chatouillement agaçant et incessant me réveilla. Allongé près de moi, appuyé sur un coude, Jean, un ouvrier agricole, nouvellement arrivé, me chatouillait avec un brin de paille. Je l'aimais bien, car il me taillait des sifflets et m'avait donné un petit coffre de bois avec un clef, qui faisait ma joie et dans lequel j'enfermais mes secrets.

Il était très brun de peau et le soleil l'ayant aussi fortement bruni, on remarquait immédiatement ses yeux très bleus et ses dents luisantes et blanches. Sa poitrine était couverte d'une abondante toison dans laquelle j'aimais enfouir mon visage. C'est ce que je fis en frottant ma tête sur son torse comme font les chevreaux au front agacé par leurs cornes naissantes.

Il me serra contre lui, me mordilla le cou, les oreilles ; je riais en me trémoussant. Mes fesses, qu'il pétrissait et écartait, tenaient toutes

dans sa main. Je ne riais plus. Mon corps s'était
fait attentif. Il écarta la culotte et son doigt
essaya d'ouvrir la petite fente. J'écartais les cuisses pour mieux lui en faciliter l'accès, comme
j'avais vu faire les filles. Il se pencha alors et
insinua sa langue au creux de mon ventre. Je
poussai un cri tant le plaisir ressenti était aigu.
Il me fit signe avec le doigt d'être silencieuse.
J'acquiesçai d'un signe de tête. Et de la main
poussait sa tête vers mon ventre. Cela le fit
rire doucement et murmurer :

« Sacrée petite garce. »

Il revint à mon ventre et me lécha en poussant des grognements. Je crus mourir de bonheur en sentant la douceur de sa moustache
qu'il portait longue, à la gauloise, et le râpeux
de sa barbe naissante à l'intérieur de mes cuisses.

Quand il se redressa, il était très rouge sous
son hâle avec un drôle de regard qui me fit
un peu peur. Il entreprit de défaire son pantalon. J'avais très envie de l'aider tant j'avais
hâte de voir enfin une queue de près, mais je
n'osais pas. Elle jaillit, superbe. Qu'elle était
belle cette première queue, longue, noire et
dure, si dure ! Je tendis mes mains, comme un
enfant vers un cadeau ardemment désiré et enfin

offert. Mes deux mains n'en faisaient pas le tour.

Je n'ai jamais oublié cette queue dressée pour moi.

J'approchai mes lèvres et je connus la douceur merveilleuse du gland. Ma langue, à petits coups, léchait ce bâton de chair, j'avalais avec délice la goutte de liqueur qui s'échappait du petit trou. Je fourrais mon nez dans la toison rèche, faisant rouler sous lui ces deux boules qui m'intriguaient tant chez les chats et les chiens.

Un de ses doigts s'était insinué dans mon derrière et l'autre caressait ma fente que je sentais toute humide. J'aurais voulu que cela ne s'arrête jamais.

Ce fut la voix de Lucie qui rompit le charme.

Jean arracha sa queue de ma bouche, la remit précipitamment dans son pantalon, et se sauva par une petite porte. Lucie entra dans la grange. J'avais eu le temps de rabattre ma robe. Je devais être très rouge et avoir un air bizarre, car elle regarda autour d'elle d'un air inquiet.

« Tu étais seule, petite ? Que fais-tu là ? »

Je montrai mon livre. Rassurée, elle sourit.

« Allez, viens vite, il est temps d'aller aux champs. »

C'EST avec Blanche que je pris pour la première fois le train.

Elle m'avait fait lever très tôt, car il
fallait changer de train à Limoges. C'est donc à
moitié endormie qu'elle me hissa dans le compartiment. Engourdie par le sommeil et le froid
du petit matin, je somnolai jusqu'à Limoges.

Blanche m'emmena au buffet de la gare boire
un chocolat, là je m'éveillai complètement et
écarquillai les yeux.

Tout m'étonnait et m'émerveillait. Le bruit,
le mouvement, les gens à l'air inquiet ou affairé,
l'étalage du marchand de journaux aux couleurs
clinquantes. Je courais d'un endroit à l'autre
malgré les gronderies de Blanche. Ayant réussi
à m'agripper la main, elle m'entraîna vers la
sortie.

« Encore une heure à attendre avant la cor-

respondance », murmura-t-elle en me regardant,
me sembla-t-il, découragée.

Il faisait très beau, le soleil éclairait les par-
terres fleuris des jardins du Champ de Juillet
vers lesquels nous nous dirigeâmes. Blanche
s'assit sur un banc, s'appuya au dossier, ferma
les yeux, sous la douceur du soleil.

Elle était bien jolie ainsi, la douce Blanche.
Rêvait-elle aux promenades faites dans cette ville
avec Léon quand il réussissait à l'entraîner loin
de sa maison et de ses enfants ? Il lui prenait la
taille comme un jeune amoureux pour l'aider à
monter la raide rue du Clocher où elle aimait
flâner à cause des boutiques. Il se laissait emmener en riant à l'église Saint-Michel en haut de
la côte. Là, agenouillée, la tête entre ses mains,
près du cierge que Léon venait de lui allumer,
elle priait.

Croyait-elle vraiment en Dieu ? Curieuse-
ment, malgré tous les signes extérieurs de piété
qu'elle donnait, je ne l'ai jamais cru. Non qu'elle
agît par hypocrisie, mais plutôt par habitude,
par souci des convenances provinciales. Ou alors,
ce qui serait assez dans sa façon, pour être tranquille, pour s'isoler ou se retrouver.

Je jouais à jeter des cailloux sur les poissons

rouges du bassin et je tapais du pied en constatant que je n'en atteignais aucun. Je traçai une marelle. Mais ce n'était pas drôle de jouer toute seule. Heureusement, j'avais dans ma petite valise *Les Deux Nigauds* que j'avais lu et relu, mais qui m'amusait toujours autant. Blanche regarda la grosse horloge de la gare et se leva.

Je contemplais cette gare avec ravissement et un certain effroi. Je n'avais jamais rien vu de plus beau. Le vert tendre des toits en coupole, l'éclat des vitraux, les sculptures de la façade et cette situation imposante, sur une hauteur. J'imaginais que c'était un monstre aux énormes gueules — les portes — qui engloutissaient les voyageurs dans un bruit de machine effrayant. Jamais gare n'a ressemblé autant à l'entrée de l'enfer.

Arrivées sur le quai, notre train entrant en gare, le contenu de ma petite valise se répand sur le sol. Mon cri arrête Blanche qui se penche pour m'aider à rassembler mes trésors : glands desséchés, images pieuses, tricotin, livres divers, deux petites poupées, une tapisserie commencée depuis longtemps, bouts de ruban, crayons, bonbons, bref, tout ce qu'une petite fille emporte en voyage. Nous n'arrivons pas à fermer la valise que Blanche prend sous son bras en me grondant. J'ai les larmes aux yeux. Je me sens incomprise. Personne ne m'aime.

Installées dans le compartiment de deuxième classe, les troisièmes n'étant pas dignes de nous et les premières au-dessus de notre condition, Blanche entreprend de fermer ma valise. Et le voyage commence.

Je regarde défiler de plus en plus vite les dernières maisons des faubourgs en essayant de voir ce qui se passe à l'intérieur. Scènes arrachées, un instant, à leur banalité. Puis viennent les champs de blé aux ondoiements chatoyants, les bois sombres, les ruisseaux, les rivières. Je me rejette en arrière quand un autre train nous croise dans un grand bruit. J'agite les mains à l'intention des gardes-barrières qui répondent gentiment à mon signe. Le train ralentit, puis s'arrête. Je prends ma valise, prête à descendre.

« Nous ne sommes pas encore arrivées », dit Blanche en souriant.

Je reprends ma place devant la vitre mais très vite je m'ennuie, c'est toujours la même chose. Je prends un illustré, le *Lisette* acheté à Limoges. Mais je n'ai pas envie de lire. Je regarde les gens autour de moi : une sœur de Saint-Vincent-de-Paul dont la grande cornette dodeline aux mouvements du train ; une dame très raide, au regard sévère, tenant un panier sur ses genoux, et un vieux monsieur avec un ruban rouge à la boutonnière. Je trouve le ruban trop petit, ce serait bien plus gai s'il était plus gros. Mais personne n'a l'air bien gai dans ce compartiment et je bâille en me trémoussant.

Blanche me fait signe de sortir et m'emmène aux toilettes. J'ai un peu peur en voyant les traverses défiler sous la cuvette.

Je reste debout dans le couloir, appuyant mon nez, ma langue ou mes dents à la vitre tremblotante.

Je me retourne, Blanche s'est assoupie. Je parcours le train dans un sens et dans l'autre. Dans le dernier wagon, surplombant la voie de quelques marches, je me hisse sur une plate-forme où il y a un volant et des manettes. Le vent entre de chaque côté de la cabine.

Je pilote le train. Que c'est amusant. Le train passe entre deux haies d'arbres, frôlant certaines branches. Je tends le bras pour essayer de les attraper. Aïe, je retire précipitamment ma main durement cinglée par une branche épineuse. De petites gouttes de sang apparaissent que je lèche doucement.

Je me sens brutalement soulevée par de fortes mains. C'est le contrôleur qui m'arrache du banc de pilotage. Derrière lui, Blanche, très pâle, me saisit et me serre convulsivement contre elle. Elle me repousse et me donne une grande paire de claques.

« Vilaine enfant, quelle peur tu m'as faite! »

Je ne lui en veux pas trop pour les gifles, je m'y attendais. Chaque fois que je fais quelque chose de vraiment amusant, ça se termine toujours de cette manière.

Nous regagnons le compartiment. Blanche me donne des petits gâteaux secs, une orange. Je m'endors.

Je suis allongée sur des fourrures blanches, j'ai des colliers de perles, de diamants, de rubis autour du cou, j'ai des bagues à tous les doigts de mes mains, de lourds bracelets aux poignets et aux chevilles. Dans un coin, un brasero donne une douce chaleur et éclaire doucement ma couche. Je suis enveloppée d'étoffes brodées d'or et d'argent, un long voile couvre ma longue chevelure rousse. De voluptueux parfums montent de lourds brûle-parfums ciselés. Je suis sous une tente mouvante. Je me soulève et écarte un pan de la tente. Je suis dans un immense traîneau, tiré par de gigantesques chevaux noirs. Je me rejette en arrière, le cœur battant. Enlevée, je suis enlevée. Je me blottis sur les coussins de brocart, sous les chaudes fourrures. Quelques larmes coulent le long de mes joues.

La course folle s'arrête. Les panneaux de la tente s'écartent, un homme grand, à la longue moustache noire pleine de givre, au regard perçant, couvert de fourrures, entre et, me regardant longuement d'un air cruel et menaçant, me dit en ricanant :

« Tu es à moi. »

Il avance la main vers moi, arrache les fourrures. Je pousse un cri.

« Réveille-toi, petite, nous sommes arrivées. »

C'est la fin d'un beau voyage. Le quai est plein d'hommes en uniforme vert portant des mitraillettes. Nous sommes à Vierzon.

A Vierzon, Blanche n'était pas la même, elle semblait rajeunie. Etait-ce de se retrouver dans la ville de son adolescence, de retrouver Emilia, l'opulente et si belle femme de son frère René, les bords mélancoliques du Cher et du canal, cette rue interminable et inquiétante des ponts ? Ou bien se sentait-elle un peu en vacances loin de sa maison et de ses enfants ?

Elle m'emmenait rendre visite à de vieilles dames qui l'embrassaient en l'appelant « ma petite enfant » ou « ma bonne Blanche », et lui offraient, selon l'heure, du thé ou du vin d'orange.

« Que veut cette belle enfant ? », disaient-elles en me pinçant la joue ou me caressant les cheveux.

« Quels beaux cheveux ! »

Je demandais toujours un livre, car je savais par expérience que la visite pouvait se prolonger et que je ne devais pas bouger sous peine de me faire gronder.

Après un moment d'hésitation, on sortait du bas d'une armoire ou d'une bibliothèque d'énormes volumes reliés de *L'Illustration* ou du *Petit Parisien.* Je dois à ces journaux de la fin du siècle dernier mes plus beaux cauchemars d'enfant. Les couvertures violemment coloriées n'étaient que scènes d'horreurs, de tueries ou de catastrophes.

Je me réveillais en sursaut devant les têtes fraîchement coupées d'Annamites rebelles, ou les flammes qui enveloppaient les premières communiantes se propageaient à moi, ou un anthropophage me tendait un bras saignant à manger, ou l'explosion détruisant le navire me projetait à la mer, ou le tueur de la rue Monge levait sur moi son couteau dégouttant du sang de ses précédentes victimes, ou j'étais broyée par les anneaux d'un serpent géant, attachée sur une fourmilière et dévorée vivante.

Jamais la complaisance et le mauvais goût de la presse n'ont été aussi grands, tant au niveau de l'image que du texte, flattant chez le lecteur les instincts les plus mesquins, les plus cocardiers, les plus racistes et les plus vulgaires, qu'en cette période précédant la guerre de 14.

Même maintenant, l'évocation de ces images provoque chez moi un sursaut de dégoût. De visite en visite, j'ai fait le tour de la presse fin de siècle, tant politique qu'humoristique, féminine et enfantine.

Quand la visite s'éternisait, l'on me donnait de vieux magazines et une paire de ciseaux, quelquefois des crayons de couleur. Je découpais presque toujours les images représentant des femmes ou des petites filles, rarement des hommes et jamais des animaux.

J'empilais ces découpages qui seraient collés dans un cahier réservé à cet usage.

Blanche savait qu'elle pouvait être tranquille, je ne bougerais pas avant plusieurs heures.

Quelquefois, bercée par le murmure des conversations, je m'endormais sur mes découpages, réveillée de temps en temps par l'éclat d'un rire, ou la sonnerie de la porte d'entrée annonçant une autre visite. Si c'était le cas, Blanche en profitait pour prendre congé. Le soir, elle faisait le récit à Emilia de sa journée et des

bavardages de ses vieilles amies. Emilia se mo-
quait d'elle en lui disant que c'était bien fait
et qu'elle n'avait pas besoin de faire toutes ces
visites et d'y traîner cette pauvre enfant (moi).
Blanche se récriait, rougissant, disant qu'elle ne
pouvait pas se dispenser de ces visites de cour-
toisie, qu'elle ne venait pas souvent, que les
vieilles dames seraient bientôt mortes, etc. Emilia riait de plus en plus fort devant tant de
fausses raisons. Blanche se mettait en colère,
traitant Emilia de « sans cœur », de « mauvaise
sœur ». Emilia se levait alors et embrassait sa
belle-sœur :

« Quelle soupe au lait ! Je te taquine, grande
sotte. »

Blanche rendait le baiser et riait à son tour.

Pas loin de la maison d'Emilia, il y avait la
ligne de démarcation qu'il fallait traverser pour
aller « au ravitaillement ». A chaque fois, le
cœur me battait violemment, tant j'avais peur
que les « Boches » ne fouillent les sacs d'Emilia
ou de mes cousines, les jumelles, Françoise et
Jacqueline, dans lesquels elles avaient caché des

lettres ou des papiers pour des gens demeurant en zone libre.

Mais Françoise et Jacqueline étaient si belles, si apparemment « tête en l'air », que l'officier allemand, après quelques plaisanteries, les laissait passer. Au retour, il soulevait d'un air narquois les sacs alourdis de victuailles. Un jour, lui ou un autre fit un geste qui me choqua profondément, il prit dans le sac une prune et la mangea. Aujourd'hui encore, je ne sais pas pourquoi ce geste anodin me remplit de honte et de fureur.

Blanche repartit, me laissant pour quelques jours à la garde d'Emilia, de Marguerite, dite Gogo, et des jumelles.

Gogo, qui ne s'était jamais mariée, avait, pour ses nombreux neveux et nièces, une tendresse ronchonne mais attentive.

C'est chez elle que je fis la première lecture qui me troubla vraiment : *Candide* de Voltaire. J'avais pour le cul de Cunégonde les gourmandises du grand vizir. Le mot CUL fut mon premier « gros mot ». Je le répétais à voix basse avec délices. Ce fut grâce à elle aussi que je connus le plaisir de la marche dans les grandes forêts de Sologne, les goûters qui nous tenaient lieu de dîners dans les maisons forestières amies.

Nous rentrions souvent à la nuit tombée et nous traversions Vierzon à la lueur de nos lampes électriques. La ville noire semblait abandonnée, envahie par un silence profond. Nous fûmes quelquefois arrêtées par les patrouilles allemandes. Gogo leur montrait son laissez-passer et nous continuions notre route, butant sur les pavés mal joints.

Est-ce à cause de ces randonnées nocturnes, de ce bruit de bottes, de la présence allemande, que je garde à cette ville une profonde antipathie ?

Le ravitaillement fut un des grands sujets de conversation de mon enfance. Pas une réunion d'amies de ma mère où il ne fût question de la manière d'accommoder les tristes nourritures trouvées, au prix d'attentes éprouvantes, aux portes souvent closes des commerçants.

Ma mère prenait le train deux fois par mois pour aller chercher chez Lucie quelques œufs, poulets, lapins et beurre qu'elle mettait de côté pour nous.

A chacun de ces voyages, c'était un peu la fête, car Lucie ne manquait jamais d'ajouter au ravitaillement une gourmandise : du miel ou des confitures pour les enfants. A chacun des hivers de la guerre, elle ajoutait au colis des chaussettes, des écharpes tricotées, au cours des veillées, en laine du pays. Malgré cela, j'eus, tout au long de ces hivers, de douloureuses engelures.

J'aimais beaucoup aller avec Lucie aux gros marchés de la région. Elle se levait tôt le matin pour se préparer. Elle mettait sa meilleure robe sur laquelle elle attachait un long tablier noir à grandes poches et, selon la saison, un chapeau de paille noir ou un de ces bizarres chapeaux de feutre noir que portent encore aujourd'hui les vieilles femmes de province, son gros manteau de drap, son grand parapluie, son sac, son cabas, tout cela noir évidemment.

Avec son teint clair, ses cheveux mousseux, tout ce noir lui donnait une grande allure.

Nous allions sur la route attendre le car qui nous conduirait soit à Chauvigny, soit à Saint-Savin ou à Montmorillon. Il arrivait enfin, auréolé de la fine poussière blanche de la route, et s'arrêtait en cahotant. Après les salutations d'usage, le chauffeur lui tendait les billets.

« Bonjour, madame Lucie, comment va la santé ?

— Bien, Justin, bien. Et les enfants, ils doivent être grands maintenant ? »

Patiemment, les occupants du car attendaient. Il en serait de même à chaque arrêt, pour chacun des voyageurs. Tout le monde se connaissait et avait plus ou moins des liens de parenté. On arrivait sur le lieu du marché vers neuf heures.

Il y avait toujours sur la place où s'arrêtait le car un café tenu par une amie ou une connaissance de Lucie. A Chauvigny, c'était la Rose, énorme matrone moustachue au bon rire et qui me gavait de sucreries ; à Saint-Savin, la Jeanne dont on disait que le cœur était aussi sec que le corps ; à Montmorillon, Mlle Crotte (surnom donné à son père le vidangeur et qui lui était resté. Enfants, sa sœur et elle étaient appelées les petites Crottes).

Lucie s'asseyait pour boire le café, échangeant les nouvelles. Mais très vite, Rose, Jeanne ou Mlle Crotte nous quittaient, appelées par leurs pratiques. J'aimais le va-et-vient bruyant de ces petites salles de café, sentant la sciure fraîche, le vin rouge et le tabac.

Les rares femmes autour de nous étaient presque toutes vêtues de noir, sauf les plus jeunes qui portaient des blouses à carreaux ou à fleurs. On appelait blouse toute robe de coton se boutonnant devant.

J'ai gardé de mon enfance paysanne un goût profond pour cette forme de vêtement. C'est ma tenue favorite et, pour moi, le vêtement érotique par excellence. Je suis troublée par la facilité avec laquelle cette blouse, qui révèle les cuisses de celle qui la porte quand elle marche ou s'accroupit, peut être enlevée. Je lorgnais avidement les cuisses blanches de mes cousines quand elles s'accroupissaient pour traire les vaches. La blouse remontait, s'ouvrant sur les cuisses écartées, accusant la forme épanouie des fesses. Je m'appuyais contre la vache dont j'aimais la chaleur qui m'engourdissait peu à peu. Le giclement du lait contre les parois du seau, les pis à la forme émouvante entre les mains de ma cousine Pauline, le mouvement qui la faisait se balancer un peu sur l'escabeau, l'odeur de l'étable, tout cela me troublait beaucoup, mais apparemment pas ma cousine qui me chassait quand je me penchais pour l'embrasser dans le cou...

Lucie et moi, nous allions à travers les allées encombrées, ou milieu des marchandes assises sur de petits pliants ou des caisses en bois devant leur éventaire, proposant quelques œufs, des fromages de chèvre, un poulet ou un lapin fraîchement tué, des champignons (cèpes, rosés, girolles ou trompettes de la mort), des cerises bien noires, excellentes pour le clafoutis, de petites prunes jaunes à la chair fine et serrée, quelques poignées de mogettes, des têtes d'ail bien rondes ; le tout joliment présenté sur des feuilles de vigne ou de châtaignier.

Lucie ne s'arrêtait pas, sauf pour échanger quelques mots avec une payse. Elle ne venait pas là pour bavarder, mais pour faire les achats indispensables à la marche de la ferme et à l'entretien de la maison.

Nous sentions de loin que nous approchions du marchand d'épices. Lucie, comme moi, nous raffolions de ces parfums qui nous transportaient dans des Orients de rêve. Je crois que là étaient ses seules dépenses un peu folles. Elle tendait au marchand de noirs et brillants bâtons de vanille, des bâtons de réglisse, des écorces de cannelle, une poignée de noix de muscade, des sachets de clous de girofles, de poivre blanc et gris, de poudres ocres ou rouges ou jaunes ou brunes, que sais-je encore, qu'il mettait dans de petits pochons blancs puis, le tout, dans un plus grand. Le dernier achat était un grand bâton d'angélique que nous nous partagions avec un regard complice et gourmand.

C'étaient des arrêts chez la mercière, la marchande de tissus, le marchand de souliers. Là, je trouvais que Lucie manquait un peu d'imagination : elle achetait toujours le même genre de chaussures en épais cuir noir à lacets pour l'hiver et une espèce de sandale ajourée, noire également, pour l'été. Pour les sabots, c'était un autre marchand.

Après être passées chez le grainetier et le quincailler, notre halte la plus longue était chez le libraire. Nous aimions plus particulièrement celui de Montmorillon qui me connaissait bien, Tabac Jaune. Je n'ai jamais su d'où lui venait ce surnom. Il connaissait nos goûts et montrait à Lucie ses nouveautés. Nous les feuilletions lentement avant de faire notre choix, influencées souvent par l'illustration de la couverture ou le

titre prometteur. Mon goût allait vers les récits
d'énigmes tels *Le Mystère de la chambre jaune*
ou *Le Parfum de la Dame en noir* de Gaston
Leroux. Lucie était plus attirée par les romans
d'amour où l'héroïne, toujours pure, est en butte
aux méchants qui veulent lui ravir sa vertu. De
toute façon, nous échangions nos livres. Nous
sortions de la librairie avec une dizaine de volumes.

Vers midi, nos achats terminés, après un rapide repas composé le plus souvent d'omelette
et de fromage pris sur le coin d'une table d'un
café, entourées de bruyants buveurs, nous rejoignions le car, et c'est épuisées que nous arrivions
à la ferme où, pour tout dîner, nous aurions un
bol de lait chaud car Lucie, tout au désir de
lire, dira que c'est bien suffisant.

Ce que je préférais, quand j'étais chez Blanche
et que nous étions seules, c'était regarder les
photos. Il y avait trois grandes boîtes pleines de
photos jaunies. J'aimais surtout celles de Blanche : enfant, jeune fille, jeune femme entourée
d'enfants, un bébé sur les genoux. Les photos
de communiantes ou de mariés me plaisaient
aussi beaucoup. Je n'arrêtais pas de poser des
questions :

« Qui est cette grosse dame ? Et ce jeune
homme habillé en marin ? C'est le mariage de
qui ? Qui est cette petite fille avec une jolie
robe blanche ? Celle-là, je la reconnais, c'est
Emilia. Celle-là, c'est la tante Marie. Regarde
Léon comme il est beau. »

Blanche me prenait la photo des mains et
contemplait, émue, les traits de son compagnon.
Je voyais ses épaules s'affaisser un peu plus,
comme sous le poids d'une solitude devenue
trop grande, trop lourde. Ses belles mains, que
le temps avait tordues, tachées, tremblaient
comme sa bouche aux lèvres minces. Sa poitrine se soulevait rapidement. Je la regardais,
cherchant à comprendre la peine dont elle était
secouée, si longtemps après la mort de cet époux
tendrement aimé.

« Ah, l'absence, la mort de l'être aimé ! Ce
vide laissé par cette mort. Ne plus le voir, ne
plus le toucher. Quelle horreur ! » me dira
plus tard une femme que j'aime tendrement :
Pauline Réage.

Mais, en ce temps-là, j'étais seulement émue
par sa peine. Je m'empressais, pour l'en dis-
traire, de lui montrer des photos de fêtes : baptêmes, communions, remises de prix, mariages,

etc. Pourquoi fallait-il que tant de gens présents sur ces photos soient également disparus ? Ces soirs-là, sous la lampe de la grande salle à manger, Blanche faisait l'appel de ses morts : Louise, sa mère, la suicidée, la plus aimée, la plus haïe ; René, son frère, si fort, si bon, si beau ; le petit Jean-Pierre, mort au berceau ; Marthe, la cousine bien-aimée, la confidente ; Paul, cet amoureux éconduit, tué à la guerre. Tous ces visages oubliés, saisis dans un instant de joie ou de bonheur, qu'elle ne verrait plus mais qui semblaient l'appeler de toute la puissance de leurs regards jaunis.

Les enfants aiment et redoutent l'évocation de la mort. Je n'étais pas sans complaisance face à elle. On me voyait souvent assise sur les tombes de pierre ou mélancoliquement appuyée aux croix du vieux cimetière, jouant avec les perles tombées des couronnes mortuaires, rêvant de fantômes, de feux follets, et de résurrection des morts dans les fracas de la fin du monde, quand Dieu vient chercher les siens et rejeter dans la fournaise ceux qui n'ont pas compris. Je me repaissais d'images d'horreur religieuse : les tombeaux s'ouvraient sous un ciel de feu, laissant passer des cohortes de morts enveloppés de suaires, des squelettes ricanants ou d'informes pourritures ambulantes ; des créatures horribles sillonnaient le ciel armées de faux, de tridents, poursuivant ces pauvres morts ; des anges, à la beauté froide et rayonnante, prenaient par la main les élus et, les élevant vers Dieu, leur redonnaient vie. Bientôt le ciel était envahi d'une multitude vêtue de blanc, des palmes à la main, chantant la gloire de Dieu pendant que du haut de leurs certitudes ils contemplaient la terre en flammes où souffriraient les damnés jusqu'à la fin des temps. Je rentrais de ces promenades épuisée.

Blanche me faisait lire la Bible dans les deux grands livres rouges, illustrés par Gustave Doré. J'ai aimé ce livre plus que bien d'autres, plus que l'*Illiade* et l'*Odyssée*, plus que l'*Enéide*, plus que les vingt livres de la comtesse de Ségur qui furent les livres lus et relus de mon enfance.

Dans le grenier de Blanche, il y avait des caisses pleines de prix : gros volumes en percaline rouge à tranches dorées, et la merveilleuse Bibliothèque Rose. Je me souviens encore du nom des auteurs : Mlles Julie Gouraud, Zénaïde Fleuriot, Mmes Cazin, Chéron de la Bruyère, de Stolz, de Pitray, du Planty, et de celui de prestigieux dessinateurs comme Bertail et Castelli ; les Hetzel, les Jules Verne dont la belle couverture polychrome fait la joie des collectionneurs.

Les jours de pluie étaient des jours heureux chez Blanche. Je montais au grenier, je fouillais dans les grandes malles et je me déguisais avec de vieilles chemises de nuit aux cols de dentelle déchirée, je m'enveloppais dans des boas perdant leurs plumes, j'enfilais de hautes bottines à boutons. Et là, allongée, à plat ventre sur le matelas déchiré d'un vieux lit-cage, je lisais durant de longues heures, seulement tirée de ma lecture par Blanche qui montait à goûter pour nous deux. Nous faisions la dînette. Elle sortait alors d'un grand carton, toute enveloppée de papiers de soie, « sa » poupée. Je n'aimais pas cette grande bringue à tête de porcelaine, aux yeux bleus stupides, aux molles anglaises, aux bras et aux jambes grotesquement articulés, à la robe de tulle brodée qu'il ne fallait pas toucher. Blanche ne devait pas l'aimer beaucoup non plus, mais une fierté enfantine faisait qu'elle aimait me la montrer. Je n'en étais pas jalouse car j'avais un gros poupon, François, qui suffisait à mes manifestations de tendresse maternelle.

Après le goûter, je me replongeais dans ma lecture jusqu'à l'heure du dîner.

L UCIE dansait comme une reine. Pas une de ses amies ne valsait aussi longtemps ni aussi vite. Il est vrai qu'Alexandre était un fier danseur qui savait l'enlever haut quand la figure de la danse le demandait.

Elle avait rencontré le bel Alexandre à Saint-Savin, à la noce d'une lointaine cousine. Elle ne manquait pas de cavaliers et de soupirants, la belle Lucie. Plus d'un s'était déclaré et, bien qu'émue, elle secouait la tête en riant. Cette fille de la campagne était non seulement belle, mais elle était aussi instruite. N'avait-elle pas eu son brevet et ne venait-elle pas de réussir son examen de demoiselle des Postes ! Elle pouvait prétendre à un beau parti, c'était sûr ! Tout cela intimidait un peu les jeunes gars. Mais le plaisir de danser avec la plus belle fille de la noce l'emportant, ils furent plusieurs ce jour-là à se précipiter pour l'inviter. Ce fut Alexandre qu'elle choisit et le seul avec qui elle dansa. Elle accepta son bras pour marcher sous les arbres de la promenade, le long de la Gartempe. Ils entrèrent dans l'église où, sous les admirables fresques, elle s'agenouilla. Lui, ayant enlevé son chapeau de feutre noir à larges bords, resta debout près d'elle.

Quand ils sortirent, la lumière de leurs regards fit dire aux commères assises sur les bancs de la place :

« En voilà deux qui viennent de faire leurs accordailles. »

Elles ne se trompaient point. Cinq mois après, les vendanges faites, Lucie et Alexandre se marièrent dans la vieille et charmante église romane d'Antigny.

Jamais on ne vit, dit-on, mariée plus belle, ni marié plus rayonnant.

Alexandre l'emmena dans leur nouvelle maison. Un feu clair flambait dans la haute cheminée, « la rôtie » de rigueur, le vin chaud, fumait dans les grands bols de porcelaine blanche à liséré rouge, cadeau de la tante Jeanne. Le lit était ouvert sur la blancheur des draps : un grand crucifix, offert par une cousine religieuse à Poitiers, le dominait, comme une approbation.

Lucie retira sa couronne de fleurs d'oranger et les quelques épingles qui retenaient ses cheveux. La splendide chevelure éclaboussa d'or la robe blanche et donna à Lucie l'air d'une vierge folle prête pour les bacchanales.

Dehors, les garçons et filles de la noce s'évertuèrent, en vain, par leurs chants et leurs cris, à les faire sortir de leur chaud repaire.

Leur premier fils, Adrien, naquit un an plus tard.

Alexandre mourut des suites de la guerre de 14, laissant à Lucie la charge d'une grosse ferme et de quatre enfants heureusement déjà grands. Elle fut vaillante, mais ses beaux cheveux roux devinrent blancs très vite.

Je lui disais souvent :

« Raconte-moi Alexandre. »

Elle souriait de ses lèvres devenues minces et, le regard lumineux, elle racontait toutes ces années de bonheur, de dur labeur, éclairées par son amour, le froid des longs hivers, le dernier

loup tué par l'oncle Emilien, son beau-frère,
l'année où toutes les récoltes furent anéanties
par la grêle, la pluie incessante. Même les châtaignes pourrissaient, les bêtes mouraient dans
de grandes souffrances d'une maladie inconnue.
On avait souvent eu faim cette année-là dans la
campagne poitevine ; bien des vieux et des petits
enfants moururent durant l'hiver, et ceux qui na-
quirent au printemps étaient tout chétifs. Elle
racontait son séjour à Paris quand elle avait été
voir Alexandre, blessé, au Val-de-Grâce, leurs
promenades durant sa convalescence le long des
quais de la Seine, son bonheur devant les bouquinistes qui riaient de l'émerveillement de cette
jolie fille devant tant de livres ; leurs dîners
d'amoureux dans les petits bistrots pas chers de
la montagne Sainte-Geneviève, les bals où ils
retrouvaient, au son de l'accordéon, l'émotion
de leur première danse, et cet hôtel aux escaliers
si raides où ils avaient loué au dernier étage, sous
les combles, une chambre mansardée, mais si
claire, si gaie avec son papier à fleurs, d'où ils
voyaient tout Paris.

Ces deux mois passés à Paris, en 1917, furent
leurs seules vacances.

Elle se souvenait aussi, avec émotion, de

trois jours passés chez une parente au Mont-Saint-Michel avec ses deux aînés : Adrien et Lucienne. Elle riait au souvenir de la peur des deux enfants devant la mer et les vagues. A vrai dire, elle n'était pas trop rassurée non plus mais Alexandre était là. Elle racontait la beauté de l'endroit, l'impressionnante grandeur de ce roc battu par la mer. On y sentait la présence du Bon Dieu, disait-elle.

Lucie ne pratiquait pas. Elle allait à l'église la nuit de Noël et le jour de Pâques et naturellement aux mariages, baptêmes et enterrements. Je suis sûre que, contrairement à Blanche, elle croyait en Dieu et lui parlait dans le secret de son cœur.

Le retour d'Alexandre, après la guerre, lui apporta encore quelques années de joie et un nouvel enfant : André. Et puis, Alexandre s'en était allé. Un irréparable malheur : la mort d'Adrien, tué avec sa moto. Quelques bonheurs : la naissance de petits-enfants dont moi, la curieuse, la mangeuse de livres, la roussotte la plus semblable à elle.

« Alexandre... c'était un homme bon, fort et honnête. C'est un homme comme ça qu'il te faudra, petite. »

Elle écrasait une larme de ses doigts tremblants. Et mécontente, sans doute, d'être si émue, me chassait d'un geste las de la main.

Le soir, dans le grand lit, comprenait-elle tout ce qu'il y avait de tendresse dans mon baiser de bonne nuit ?

JE soupçonne Lucie d'avoir, au début de son mariage, tenu son journal, car, quand je lui demandais : « C'était comment dans ton temps ? » elle allait vers l'armoire, en ressortait un gros et vieux cahier noir d'où s'échappaient des recettes de cuisine ou des modèles de tricots découpés dans les journaux.

Elle s'asseyait sous la lampe et, avec un sérieux enfantin, le feuilletait.

« Ah, oui, c'était l'année où la Mange-Tout a failli mourir d'une indigestion de cerises. »

Elle me racontait les longues veillées d'hiver où chacun apportait son ouvrage. Tricot ou crochet pour les femmes, sculptures sur bois pour quelques hommes. Les enfants, autorisés à veiller, s'occupaient des châtaignes cuisant dans la cheminée. Lucie se souvenait s'être souvent brûlé les doigts. Chacun s'installait de son

mieux pour écouter la « diseuse » ou le « racon-
teux ».

A l'abri des murs épais, éclairés par les lueurs
dansantes du feu et des lampes à pétrole, pro-
tégés du vent, de la nuit, du froid, ces hommes
et ces femmes, en repos pour quelques heures,
écoutaient, émerveillés comme de petits enfants,
les histoires venues des temps anciens. Les
paysans poitevins y étaient à l'honneur, proté-
geant les faibles, aidant plus pauvres qu'eux,
se déjouant des brigands de grands chemins,
fidèles à leur seigneur (Lucie me montrait souvent le chêne gigantesque et creux qui avait
servi d'abri durant la Révolution au châtelain
de Pindray). Après les histoires, c'étaient les
chansons où chacun reprenait le refrain en
chœur. Puis venait l'heure du coucher, où l'on
se quittait, heureux, réchauffé par la présence,
l'amitié des autres qui faisaient paraître la nuit
moins noire et la perspective du lendemain
moins dure.

Parmi les occasions de fête du temps de
Lucie, il y avait la « bugée ». La bugée, c'était
la grande lessive, celle que l'on faisait trois
ou quatre fois l'an avec le concours de toutes
les femmes du hameau. Dans d'énormes les-

siveuses, on entassait le linge et de la fine cendre
de bois, on recouvrait le tout d'eau et le lendemain matin, deux femmes parmi les plus
fortes, les soulevaient pour les poser sur de
petits poêles bas à trois pieds où brûlait du
bois. Ensuite, les lessiveuses étaient chargées sur
des brouettes et, riant et chantant, les femmes
allaient au lavoir. Là, les draps, les serviettes,
les torchons, les chemises étaient frottés, battus,
tordus par les mains vigoureuses. Puis, la lessive
étendue sur le pré, les femmes ˉallaient d'une
fermeˉ à l'autre boire le café, manger des crêpes
ou des beignets auxˉ pommes. Certaines prenaient la « goutte », ce qui rendait leurs propos plus gaillards et leur démarche quelque
peu cahotante.

Les hommes ne se mêlaient pas à ces agapes,
c'était le domaine des femmes, comme les nais-
sances. Ils redoutaient les coups de langue des
femmes entre elles. Il est vrai qu'elles ne les
ménageaient guère. C'était au lavoir que se col-
portaient les nouvelles un peu louches, celles
que l'on n'osait pas annoncer à la table familiale comme si, inconsciemment, on les savait
mensongères, cruelles ou « sales ».

C'est aussi au lavoir que se faisait ou défaisait la réputation au lit d'un homme.

« Il n'est plus bon à grand-chose, mon homme.

— Ça m'étonne pas, ma pauvre, c'est comme le mien, c'est sûr qu'il va porter le meilleur de lui-même aux mauvaises femmes de la ville.

— On dit que le père Martin il fait ça avec sa chèvre et, qu'à la foire, il a dit que c'était bien meilleur qu'avec ces sacrées femelles qui vous emmerdent l'existence.

— Le salaud, c'est pas étonnant si son fils le Popaul y soit demeuré et qu'il se tripote toujours dans sa culotte. Même qu'il la montre aux filles. C'est-y pas malheureux des misères comme ça !

— La petite Jeanne est encore grosse. On sait pas si c'est le père ou le frère cette fois. Même que M. le curé a dit que cette fois il ne baptiserait pas le petit. »

Les jeunes fiancées ou les nouvelles mariées étaient des cibles de choix et leurs rougeurs mettaient en joie les laveuses.

Si un homme imprudent ou trop sûr de lui s'aventurait près du lavoir, très vite il s'enfuyait sous les quolibets salaces de ces fem-

mes largement décolletées, aux jupes troussées
et aux bras rougis par l'eau.

Quand il pleuvait, à la ferme, chez Lucie,
les femmes s'asseyaient en demi-cercle devant
la cheminée, les pieds chaussés de feutre noir,
tendus vers les flammes, les sabots boueux restés
à la porte. Les grosses chaussures ferrées des
hommes raclaient le sol de pierre. La conversation, au début, était languissante, chacun
plongé dans ses pensées, ou lisant le journal
régional, ou un vieil almanach, ou un des livres
de Lucie.

« De ces histoires tout juste bonnes à tourner
la tête des filles », gromelait Antonine, l'amie
et la plus proche voisine de Lucie. Cette remar-
que faisait sourire l'assemblée, car l'Antonine,
« il ne fallait pas lui en promettre ».

Lucie servait dans de gros verres le vin chaud
parfumé à la cannelle. Très vite, le bien-être
s'installait et, la chaleur aidant, chacun et chacune y allait de son histoire.

Grosses histoires pour les hommes qui se
tapaient sur les cuisses en riant bien fort, sous

les regards faussement choqués des femmes.
Histoires de « miracles », de sorcier, de diable
(certaines femmes faisaient rapidement un bref
signe de croix), récentes ou du temps des « no-
bles » et du grand malheur des pauvres gens.

J'AIMAIS bien voir Lucie et Blanche ensemble, mais c'était très rare.

Toutes les deux vêtues de noir, la taille haute et droite — Blanche était un peu plus grande que Lucie —, elles se mesuraient du regard, se jaugeant, la bourgeoise et la paysanne, trop intelligentes pour s'arrêter à leur condition sociale, mais désirant chacune plier l'autre à sa volonté, comme si elles se reconnaissaient adversaires de choix. Elles se faisaient du charme, étalaient leurs connaissances, leurs possessions. Comparant leurs enfants, les professions de ceux-ci, le caractère de ceux-là. Se complimentant sur leurs bonnes mines, sur leurs robes. A chacune de leurs rencontres, immanquablement, l'une envoyait une pique à l'autre. Ces deux femmes s'estimaient mais ne s'aimaient pas. Mon attirance pour Lucie n'arrangeait pas les choses. Elles ne manquaient pas de se critiquer mutuellement par rapport à moi.

« Vous donnez trop de romans d'amour à lire à cette enfant, cela va lui tourner la tête, lui donner des idées.

— Vos histoires de Bon Dieu et de saints en feront une bigote, une bonne sœur. »

Elles se redressaient, l'œil assombri. Si ces disputes avaient lieu en ma présence, je les cajolais si bien, si tendrement, qu'elles se quittaient en souriant et en se promettant de se revoir bientôt. Il se passait, parfois, plusieurs années avant que leur promesse se réalise.

J'aurais aimé les avoir toutes les deux ! Vivre avec elles. La sensualité de Lucie alliée à la sensibilité de Blanche ; la connaissance de la terre de l'une et du divin de l'autre. Nous aurions dormi toutes les trois dans le grand lit de Lucie, bien au chaud sous la belle couette rouge ! moi entre elles deux, nous endormant doucement, bercées par les lueurs mourantes du feu.

Un jour que je faisais part à Blanche de ce désir, elle me tapota la joue en souriant, rêveuse.

« Chacun doit vivre chez soi. »

Je lui faisais remarquer que c'était sot de

vivre seules et que comme ça je les verrais
chacune davantage, qu'elles feraient des écono-
mies, qu'elles pourraient faire des parties de
crapette ou de jacquet ensemble. Jeux dont je
les savais friandes l'une et l'autre, mais faute
de partenaire, elles n'y jouaient jamais, me
trouvant trop petite pour m'apprendre. Avec
Blanche, je jouais au nain jaune et aux petits
chevaux. Avec Lucie, mais c'était rare, au loto
et au jeu de l'oie.

J'ai vu souvent des paysans se baisser, prendre une poignée de terre, l'égrener et la laisser
filer entre leurs doigts. Par ce geste, ils en appré-
ciaient la consistance, la qualité. Comme eux,
je faisais souvent ce geste en y ajoutant bien
des variantes. J'aimais particulièrement malaxer
la glaise, la pétrir longuement, voluptueuse-
ment, j'en aimais le goût et la consistance. Cette
terre glisse bien sous la langue, lisse et dense.
Avec la glaise, je modelais des maisons, des
personnages, des animaux, que je faisais sécher
au soleil. Je les cachais dans le creux des
arbres, pensant que, la nuit, un génie viendrait

les animer et qu'ils partiraient. Mais, au matin, ils étaient toujours là. Quand j'étais particulièrement satisfaite d'un sujet, je l'apportais à Lucie qui le mettait sur le dessus de la cheminée, au milieu des photos de famille et des souvenirs de Paris et du Mont-Saint-Michel. J'en étais très fière, mais très vite, à mon grand désespoir, il tombait en poussière. Ma plus belle création fut une crèche qui dura plus longtemps, car je l'humectais souvent avec un pinceau.

Avec la terre poudreuse et blanche des petites routes, je jouais à la meunière, mettant ma farine dans de petits sacs que j'avais fabriqués avec des morceaux de vieilles chemises de Lucie.

A la saison des labours, je suivais mon oncle André. J'admirais que, maintenant la charrue derrière les deux grands bœufs roux, redressant leur marche d'un coup de son aiguillon, s'ils s'écartaient du chemin à suivre, il fît des sillons aussi droits.

J'éprouvais une grande jouissance à voir le soc luisant s'enfoncer dans la terre et l'écarter.

Je prenais dans mes mains cette terre chaude et brillante, je la respirais avec délices, je l'écrasais contre moi. J'aurais voulu m'allonger nue dans le creux d'un sillon et ramener sur moi cette terre vivante, me fondre en elle, devenir terre à mon tour sur laquelle pousseraient les semailles des hommes. Rien ne m'émeut plus, encore maintenant, que la vue d'un champ fraîchement labouré, fumant sous le soleil du matin. J'éprouve, à cette contemplation, une paix ineffable, un bonheur apaisé et les larmes qui coulent sur mes joues sont le tribut payé à la beauté et à son créateur. Seule la mer me procure une sensation analogue, bien que moins forte. Je suis fille de la terre.

L'automne est aussi la saison de la chasse. Longtemps avant l'ouverture, les hommes remplissaient leurs cartouches aux belles couleurs rouges, vertes ou bleues. Suivant le gibier, ils mettaient dans les tubes des plombs de grosseur différente.

Le matin du grand jour, après un copieux petit déjeuner, préparé par Lucie, les hommes, vêtus de vieux et confortables vêtements couleur de terre ou de broussaille, attachaient autour de leur taille leurs cartouchières, suspendaient à leur épaule fusil et besace, et partaient dans le petit matin piquant, l'haleine fumante, sous un soleil verdelet. J'enrageais de ne pouvoir les suivre. Lucie ne voulait rien savoir, disant que c'était trop dangereux, que j'irais, un matin, quand André chasserait seul. Cette promesse me faisait attendre sans trop d'impatience le retour des chasseurs.

Ils rentraient à la nuit, fourbus et crottés, les gibecières débordant de faisans, de perdreaux, de lièvres et de lapins de garenne. Je fourrais mes doigts dans cette douceur morte, froide ou encore tiède. J'éprouvais une étrange langueur à mon tripotage comme si la mort brutale de ces animaux m'apportait la certitude de la puissance de ma vie en même temps que de sa précarité.

Ce n'est qu'après la soupe et deux ou trois verres de vin que les hommes commençaient à parler. Ils ne parlaient bien sûr que de leurs exploits de la journée et, là, je me surprenais à les haïr. Tuer ces douces perdrix, ces faisans somptueux, ces lièvres magnifiques, cela ne me gênait pas puisque nous les mangerions, améliorant considérablement notre ordinaire, et que la vie à la ferme m'apprenait à ne pas m'atten-

drir sur le sort des animaux, mais ce déploie-
ment de vantardises, cette satisfaction facile du
coup réussi, cette grasse complicité d'hommes
entre eux, cette absence de pitié, me rendaient
ces hommes que j'aimais odieux, et gâchaient,
l'automne durant, mon plaisir de gourmande.

Lucie n'avait pas sa pareille dans tout le
hameau pour accommoder le gibier. Jamais je
n'ai mangé de perdrix aux choux aussi parfu-
mée, de civet de lièvre aussi onctueux, de perdreaux, de garennes aussi exactement cuits à
point.

Lucie faisait sécher les peaux de lapins en les
retournant et en les emplissant de paille. Une
ou deux fois l'an, le ramasseur de peaux de
lapins venait les acheter. On l'entendait venir
de loin à cause de son cri :

« Peaux de lapinnnnnnnnn, peaux, peaux de
lapinnnnnn, chiffonnnnnn, ferrailleeeeeee. »

Outre les peaux de lapins, il ramassait aussi
les guenilles, les vieilles casseroles, les outils
cassés.

J'avais très peur de cet homme. Ne disait-on
pas qu'il emmenait les enfants méchants et qu'il
les vendait à des saltimbanques.

Enfin, Lucie tenait sa promesse et, un matin, j'accompagnais l'oncle André à la chasse. Lucie m'habillait chaudement, me donnait un bâton et une vieille musette, dans laquelle elle glissait de grandes tartines — des graissées comme elle disait — de rillettes ou de pâté de lièvre.

Je trottinais derrière André ou je le précédais en sautillant d'un pied sur l'autre. Il marchait d'un pas rapide, ne s'arrêtant que pour rouler une cigarette. Arrivé à l'endroit choisi, il me faisait signe de me taire et de me mettre derrière lui. La chasse commençait.

La chasse, cela veut dire de grandes marches à travers les labours, les brandes, les vignes et les bois. L'esprit attentif au moindre bruit, l'on voit mieux bêtes et choses. C'est en fouillant du regard les taillis, les champs de maïs que j'ai fait sur la nature mes plus grandes observations.

Je cueillais des champignons, je mangeais les dernières mûres, occupations qui me laissaient loin derrière mon oncle. Je préférais. Car après son passage, les lapins me jugeant, sans doute avec raison, peu dangereuse, sortaient de leurs cachettes, et se livraient à des cabrioles qui me semblaient narguer le chasseur. Quelquefois, le silence de la matiné était troublé par un ou deux coups de feu. J'étais très partagée. D'une part, je souhaitais que l'oncle André eût tué le perdreau ou le lièvre visé et, d'autre part, j'espérais ardemment que l'animal avait pu s'enfuir.

Ne me voyant plus, André s'arrêtait pour m'attendre. Nous nous asseyions sur une grosse pierre ou sur une souche pour manger les « graissées » de Lucie, puis nous repartions.

Au bout d'un moment, la fatigue aidant, j'avais l'impression de planer au-dessus des champs et d'avoir la tête remplie de bourdonnements.

Je ne me souvenais jamais du retour que je faisais, endormie, accrochée au dos de l'oncle André.

Lucie me déshabillait, grondeuse et rieuse, et me couchait dans le grand lit. Je ne me réveillais que le lendemain matin.

LUCIE n'aimait pas la période des vendanges qui, disait-elle, se terminait toujours par des saouleries et des bagarres. Je n'étais pas du même avis.

Dès le matin, vers la fin septembre ou début octobre, le jour à peine levé, l'air piquant un peu, on chargeait les charrettes de gros tonneaux, de paniers de bois, et la troupe des vendangeurs et des vendangeuses se mettait en route. En arrivant à la vigne, chacun prenait un panier et s'attelait à la tâche.

J'avais, comme les autres, une paire de gros ciseaux pour couper les grappes. Je prenais mon travail très au sérieux, voulant vite remplir mon panier. A chaque grappe, j'arrachais avec les dents ma part de grains rouges ou dorés. Lucie me surveillait, car à ce rythme, j'aurais eu vite mal au ventre. Mon panier à demi plein,

je le portais vers la charrette la plus proche
où l'on vidait ma cueillette dans les tonneaux
où les grappes étaient écrasées par André ou
Marcel avec une sorte de gros pilon. Je grimpais
sur la charrette pour surveiller l'opération. Bien
qu'écœurée par l'odeur et la couleur, je goûtais la mixture. Cela n'avait plus du tout le
goût du raisin. En bas de chaque tonneau, il y
avait un robinet et sous le robinet un seau qui
s'emplissait peu à peu d'un liquide épais et
d'un beau rose foncé. J'y goûtais, c'était bon !
Je n'étais pas la seule à l'aimer car les vendangeurs venaient souvent en boire.

Des sillons de la vigne montaient des rires
de plus en plus hauts, de petits cris agacés de
femmes. L'une entonnait une chanson dont le
refrain était repris en chœur. Une grande gaieté
se dégageait, emplissant l'air de son euphorie.

Il y avait longtemps que je m'étais assoupie
dans un coin quand Lucie annonçait qu'il était
l'heure de déjeuner.

Chacun s'arrêtait, essuyant ses mains à son
pantalon ou à sa blouse. On s'asseyait en rond
autour d'une grande nappe blanche sur laquelle
Lucie avait déposé le repas, terrines diverses,
jambon entier, œufs durs, petits fromages secs,

tartes aux pommes et aux prunes et bouteilles de piquette.

Les nez et les joues étaient rouges, les yeux anormalement brillants, les mains baladeuses et les propos lestes. Quant aux enfants, ils étaient tellement barbouillés de jus de raisin et de terre qu'on hésitait, sous ce masque, à reconnaître, tel ou telle. Après le repas, le vin nouveau et la fatigue aidant, les vendangeurs s'endormaient pour un court instant, bien sagement.

Au réveil, la tête un peu lourde, ils reprenaient le travail jusqu'au soir.

Au retour, les enfants et les grandes personnes étaient saouls de fatigue, de vin nouveau et de vapeurs d'alcool. C'était le moment redouté par Lucie où une bourrade trop forte, un mot de trop, la présence des filles excitées, leurs rires agaçants, faisaient se dresser les mâles les uns contre les autres. Mais, en général, cela se passait plutôt bien.

Arrivées à la ferme, les femmes allaient dans les chambres se laver le visage et les bras, se brosser les cheveux. Certaines, les plus coquettes, changeaient de blouse, se mettaient quelques gouttes d'eau de Cologne ou de lavande derrière les oreilles. De leur côté, les hommes s'asper-

geaient en riant comme des gamins en se lavant
à l'abreuvoir. Quand tout le monde était propre,
on se rendait vers la grange où avait lieu le
repas.

La nuit tombait. On avait allumé des lampes
à pétrole accrochées aux poutres. La lumière
douce et jaune adoucissait les traits rudes des
hommes et affinait le visage des femmes. Lucie
était la plus belle. La lumière, jouant avec ses
cheveux roux, lui faisait comme une auréole d'or.

Le souper commençait par une soupe à
l'oseille ou au lard, suivie de viandes rouges, de
volailles, de gibier, des derniers haricots verts
du jardin, des premiers cèpes frais cueillis, d'une
salade magnifiquement assaisonnée à l'huile de
noix, de fromages de chèvre frais et secs, des
inévitables et délicieuses tartes, et d'un café à
la chaussette qui embaumait la grange. On
buvait du « vin de marchand ».

Le repas, commencé dans un relatif silence,
s'épanouissait dans un brouhaha immense à la
mesure du travail partagé, du bonheur d'être
ensemble devant un fastueux repas.

Les femmes ayant débarrassé la table et
l'ayant repoussée le long du mur, Lucien le vio-
loneux et Clovis le vielleux, dit le Lincrou, tous

les deux du Berri, prenaient leurs instruments et sautaient sur la table. Ils faisaient le tour de tous les lieux de vendanges, et pour quelques pièces, quelques bonnes bouteille, le repas de fête et un cigare, ils faisaient danser la compagnie.

Les filles tapaient du pied en cadence, attendant avec impatience qu'un gars vienne les inviter. Elles bondissaient au premier signe et dansaient jusqu'à l'épuisement : bourrée, polka, mazurka. Regrettant — celles qui fréquentaient les bals — que les musiciens ne sachent pas jouer de danses plus modernes. Mais l'essentiel était de danser. Elles s'en donnaient à cœur joie. Lucie n'avait pas sa pareille pour la polka. C'est elle qui m'a appris à la danser.

Les musiciens s'arrêtaient de temps en temps pour boire et se reposer. Les couples en profitaient pour aller prendre l'air, se lutiner dans les coins. Selon mon habitude, je les suivais en cachette.

Intriguée, un jour, par le manège d'Aline, une fille d'un village voisin, qui venait de quitter la grange en compagnie de deux garçons, je les suivis sans bruit. Ils allaient titubant le long du chemin, chacun entourant la taille de la

fille qui riait. Ils l'embrassaient dans le cou, ce
qui rendait son rire plus aigu. Ils poussèrent
la porte d'une remise à foin. Une petite lampe
à huile pendait dans un coin, ils l'allumèrent.
La lumière courte et jaune donna à l'endroit un
aspect irréel. La pierre des murs s'estompa, les
toiles d'araignées se firent lumineuses, le foin
pris des tons de velours mordorés. Ils fermèrent
la porte en poussant la fille dans le foin.

Je connaissais l'endroit ; je contournai la bâ-
tisse et, montée sur une pierre devant la lucarne,
je regardai...

La fille fut promptement dévêtue par quatre
mains impatientes. Son corps blanc brillait. Pendant qu'un des garçons se déshabillait, l'autre
l'embrassait, la caressait, lui mordillait les seins.
Il céda sa place au garçon nu qui s'allongea sur
la fille et la prit sans ménagement. L'autre les
rejoignit très vite. Sa queue était raide et rouge.
Mon cœur battait très fort. Machinalement,
ma main se logea au creux de mes cuisses.

Il promena son sexe sur le visage de la fille,
elle ouvrit la bouche et le suça goulûment.

J'étais troublée par la beauté de ce groupe nu
et agité. Celui qui baisait la fille se retira en
poussant quelques grognements qui m'atteigni-

rent au ventre. L'autre la reprit, grogna à son tour et ainsi de suite à plusieurs reprises ; tous les trois, enfin, restèrent sans mouvement, anéantis, les cuisses et le ventre mouillés.

Je contemplais la nudité heureuse de ces trois gisants, leurs corps me semblaient éclairés de l'intérieur. La fille se ressaisit la première. Elle se redressa, ses cheveux emmêlés étaient pleins de brins de paille. Elle ressemblait ainsi, nue, ses seins lourds dressés, ses mains relevant ses cheveux, à la fée de l'été.

La voix de Lucie m'arracha à ma contemplation. Que c'était long de grandir !

Blanche, l'année de mes trois ans, m'emmena à l'école des sœurs : l'Institution Saint-M., où ma mère et mes tantes avaient été en classe. Elle m'avait acheté un joli cartable rouge dans lequel elle avait mis un vieux plumier noir avec des fleurs peintes sur le couvercle qui lui avait appartenu quand elle était petite, un cahier tout neuf avec une Jeanne d'Arc sur la couverture, une grande ardoise et son crayon, une petite éponge, un chiffon bleu et un abécédaire un peu défraîchi.

Je regardais avec appréhension cette grande cour où couraient tant d'enfants, criant et se bousculant, ces religieuses avec une cornette qui me faisait penser à celle de Bécassine, ces bancs et ces pupitres, le tableau noir, le bureau de la maîtresse sur son estrade, le grand crucifix, la statue de Notre-Dame de Lourdes, celle du

Sacré-Cœur, de sainte Thérèse de l'Enfant-Jésus.
Celle-là je l'aimais bien. Blanche m'avait lu son
histoire et montré des photos la représentant
avec sa mère, son père et ses sœurs. Toujours
vêtue de blanc, ses beaux cheveux blonds bouclés sur les épaules, il me semblait normal
qu'une aussi jolie petite fille soit devenue une
sainte qui faisait « tomber sur la terre une pluie
de pétales de roses ». J'avais très envie d'être
une sainte quand je serais devenue grande. En
attendant, il fallait apprendre à lire et à écrire,
à faire ses prières sans penser à autre chose, à
ne pas commettre de péché (?), à ne pas faire
pipi en classe, à ne pas se trémousser d'un pied
sur l'autre, à faire la révérence devant les religieuses et les grandes personnes de l'Institution,
à ne pas être insolente, à ne pas dire de vilains
mots (?), à ne pas avoir de mauvaises pensées (?).

Ce fut sœur Sainte-Jeanne qui me prit par
la main et m'entraîna loin de Blanche, immobile
et noire. Je la regardais comme si je devais ne
plus jamais la revoir. Elle me fit un petit signe
de la main et s'en alla sans se retourner.

Je me mis à trembler. Le monde était devenu
froid. Sœur Sainte-Jeanne le comprit sans doute,
car elle me cajola si bien, m'appelant « son

Jésus », « son ange », en me donnant un livre d'images que mon cœur se réchauffa.

Une cloche sonna. Une religieuse frappa dans ses mains :

« En rang, mesdemoiselles, en rang. »

Sœur Sainte-Jeanne nous fit mettre les unes derrière les autres, devant une grotte qui abritait une statue de la Vierge. Comme nous étions les plus petites, nous étions à une extrémité. Les classes se succédaient, les unes après les autres, jusqu'aux plus grandes, formant un éventail ouvert devant la grotte. La sœur supérieure frappa dans ses mains et commença la prière du matin reprise par tous les enfants. Après le dernier « Amen », elle frappa à nouveau dans ses mains, nous fîmes la révérence, elle refrappa, nous nous retournâmes, elle refrappa une autre fois, nous nous dirigeâmes vers nos classes respectives. Bien sûr, je ne sus pas faire tout cela dès le premier jour. Je m'embrouillais dans les révérences, dans les prières. Ce n'était pas grave. Le premier mois, les religieuses faisaient preuve d'indulgence, surtout envers les petites.

Une fois en classe, avant de s'asseoir, on refaisait une prière. Plus tard, quand je fus plus

grande, dans le silence angoissé des composi-
tions, je sursauterais quand la voix chaude de
Mlle D. s'écrierait :

« Cœur Sacré de Jésus ! »

Et la classe répondrait en chœur :

« J'ai confiance en vous, ou : Ayez pitié de
nous ! »

(Je ne sais pas si Dieu entendait nos prières,
mais j'en profitais pour envoyer un S.O.S. à
ma voisine qui, elle, comprenait les méandres
des mathématiques. Mais la garce restait insen-
sible à ma demande et je récoltais invariablement un zéro.)

Si les méthodes d'éducation de ces religieuses
se sont révélées pour moi catastrophiques, je
leur dois d'avoir appris à lire en six mois à
l'âge de trois ans et de cela je leur garde une
certaine reconnaissance. C'est d'ailleurs tout ce
qu'elles ont réussi à m'apprendre.

Tant que je ne sus pas lire, j'allai à l'école
sans trop rechigner. Il n'en fut pas de même
par la suite. Apprendre à écrire fut pour moi
un calvaire. Passe encore sur une ardoise ou au

crayon, mais avec une plume, de l'encre, quelle horreur !

Je rentrais chez Blanche, le visage, la langue (je suçais ma plume Sergent-major), les mains couverts d'encre violette. Heureusement que mon tablier était noir, Blanche ne voyait pas que j'y avais essuyé mes doigts et mon porte-plume. Elle me frottait la figure à m'en arracher la peau.

Rien ne put améliorer mon écriture. Ni le cahier dans le dos pendant la récréation (j'avais plus de treize ans la dernière fois que j'ai parcouru la cour sous les quolibets des élèves), ni les punitions : lignes, retenues, gronderies. Blanche était désespérée, elle qui avait une si belle écriture !

Je n'aimais pas jouer avec les autres enfants, sauf si j'étais le chef, la maîtresse ou la mère. Autrement, je restais seule dans un coin, jouant à la balle au mur ou à la marelle. Plus tard, je jouai aux osselets, je devins assez forte.

L UCIE et Blanche, quand je fis ma communion privée à Limoges, me donnèrent l'une
un missel de cuir fauve, l'autre un beau
chapelet de nacre dans son étui de cuir blanc.

Elles vinrent toutes les deux pour la céré-
monie, mises sur leur trente et un.

Malgré les restrictions, j'étais ravisamment
habillée. Maman m'avait fait faire une jolie
robe de soie blanche dans une de ses robes de
bal. Comme le temps était frais pour un mois
de mai et que je venais d'être assez gravement
malade, j'avais un manteau de drap blanc bordé
de ganses de soie. Avec ma couronne de petites
roses sur mes cheveux roux et bouclés, j'avais
l'air de l'ange de mes images pieuses.

J'arrivai à l'église, encadrée par les deux noires
silhouettes de Blanche et de Lucie, très émue,
n'ayant retenu qu'une chose ; j'allais recevoir

Jésus dans mon cœur. Etais-je digne de cette venue ? NON, me répondait la voix de ma conscience. Je n'avais pas osé avouer, en confession, que j'avais volé quelques pièces dans le porte-monnaie de Blanche et que j'avais menti à Lucie en disant que c'était le chat qui avait cassé la boule à neige du Mont-Saint-Michel. J'étais terrifiée. Sûrement qu'au moment de la communion, la voix de mon ange gardien s'élèverait pour dénoncer mon iniquité ou que de l'hostie jaillirait le sang de Jésus, marquant par là mon ignominie. Je sentais mes jambes fléchir sous moi, la tête me tournait. Je me retrouvai entre les bras de Blanche et de Lucie dans la cour de l'église.

« Comment peut-on laisser ces enfants à jeun », grommelait Lucie. Pour une fois, Blanche ne la contredisait pas.

Je me jetai à leur cou et leur avouai mes fautes. Elles me pardonnèrent et me firent promettre de ne plus recommencer. Je promis. Rassurée, je pus rejoindre mes petites camarades.

Durant la procession que les communiantes firent autour de l'église, je lançais à Blanche et à Lucie des regards reconnaissants et radieux.

J'étais touchée par les regards émus qu'elles posaient sur moi.

Nous rentrâmes à la maison sous la pluie. Je dus changer de chaussettes et de souliers, ce qui me contraria fort, car je n'avais que mes chaussures de tous les jours à mettre et elles n'étaient pas blanches, ce qui jurait avec l'ensemble de ma toilette. Le bon repas préparé par maman, les cadeaux des uns et des autres me rendirent ma bonne humeur.

Après les vêpres, le soleil ayant fait son apparition, nous allâmes nous promener et faire des photos au jardin d'Orsay. Je rentrai très lasse et très triste, ne désirant qu'une chose, être seule dans mon lit avec la dernière poupée en chiffon fabriquée par mes soins.

Je faisais assez souvent de ces poupées. Certaines étaient très sommaires, une tête aux yeux et à la bouche brodés ou dessinés et un tronc — celles-là me servaient d'oreiller ou à me caler le dos quand je lisais —, les autres, plus élaborées, avaient des bras, des jambes et des cheveux de laine.

Maman me tricotait pour elles de petits vêtements. J'aimais ces « guenilles », comme disait Blanche, c'est à elles que je racontais mes peines et c'est à l'une d'elles que je dois de n'être pas devenue folle au moment de l'affaire Petiot.

Les cloches de Pâques ne s'étaient-elles pas avisées de nous envoyer, à ma sœur et à moi, de menus cadeaux enveloppés dans des feuilles de journaux relatant l'affaire en des termes et avec des photos dont l'horreur me fait encore frémir ?

Pendant plusieurs nuits, j'eus des cauchemars, je me réveillais en criant, croyant voir Petiot ricanant au-dessus de moi, un couteau sanglant à la main.

La poupée avait encore plus peur que moi, aussi en tentant de l'apaiser, je me calmais moi-même.

Je quittai Blanche, vers cinq ans ou six ans, pour rejoindre mes parents qui étaient alors dans le Lot. Ils avaient loué à une vieille aristocrate un appartement dans la maison qu'elle habitait. Je trouvais cette maison extraordinaire, pleine d'ombres et de lumières, de recoins, de longs et étroits couloirs dallés de tommettes cassées par endroits et sur lesquelles je trébuchais tout le temps, des salons sombres remplis de meubles recouverts de housses blanches qui me faisaient penser à des fantômes, des miroirs embrumés de poussière, des greniers tellement remplis de vieilles malles, de mannequins en osier, de meubles cassés que j'avais du mal à m'y faufiler pour fouiller dans les caisses à la recherche de livres ou de jouets.

La vieille demoiselle, qui avait bien précisé à mes parents « que les enfants ne devaient pas courir dans la maison », avait pour moi une indulgence que son fils qualifiait de coupable.

Quand j'avais fait quelques bêtises telles que casser un vase, déchirer une dentelle pour habiller mes poupées, arracher les fraisiers pour cueillir plus vite les fraises, laisser échapper les lapins, poursuivre les poules à grands cris, je montais vite chez elle, ramassant son ouvrage, remontant ses coussins, lui lisant son journal, bref, je la cajolais si bien que quand son fils ou la vieille servante arrivaient pour raconter mon nouveau méfait, elle haussait les épaules en disant :

« Ce n'est pas grave, il faut bien que cette petite s'amuse. »

Et elle me donnait une pastille Valda.

C'est dans ce village du Lot, à Peyrac, que je fis l'apprentissage de la séduction. J'avais deux amis vieux (ils devaient avoir treize ou quatorze ans), les jumeaux Claude et Georges, les fils de la directrice de l'école, qui s'étaient pris pour moi de passion. Ils m'emmenaient dans toutes leurs promenades dans les collines alentour. Ils savaient dénicher les nids, débusquer les renards de leurs terriers, prendre des lapins au collet, trouver les coins à fraises sauvages ou

à champignons, chaparder les fruits dans les
jardins. Nous faisions mille sottises plus amu-
santes les unes que les autres. C'était à celui qui
m'apporterait les fraises les plus mûres, les
pêches les plus grosses, les framboises les plus
rouges, les fleurs les plus belles. Ils me contemplaient pendant que je mangeais les fruits ou
plongeais mon visage dans les bouquets. Ils
attendaient patiemment que je leur dise un mot
qui prouve mon plaisir, que je leur donne un
baiser qui récompense le cadeau. Coquette déjà,
je les faisais languir. Quand j'étais dans un bon
jour, je les embrassais tous les deux, mais si,
pour une raison quelconque, j'étais de méchante
humeur, je n'en embrassais qu'un. L'ignoré se
détournait alors en disant que j'étais une garce
et que, d'ailleurs, j'étais bien trop petite. Je
riais en me blottissant très fort contre l'élu du
jour.

Ils n'avaient qu'un vélo pour deux et une
de mes grandes joies était de me promener
assise en amazone sur le cadre, les bras de
Claude ou de Georges formant une barrière pro-
tectrice.

Claude était le plus amoureux des deux.
Un de mes plaisirs, quand j'étais sur le vélo

avec Georges, était de m'appuyer contre sa poitrine, les yeux mi-clos, un sourire heureux aux
lèvres, et de faire celle qui ignorait Claude. Ça
marchait à chaque fois. Il détournait les yeux,
l'air soudain vieux et accablé. J'aimais lui faire
de la peine et en même temps je le regrettais.
Il ne devait pas comprendre, quand la promenade avec Georges était terminée, pourquoi je
me précipitais dans ses bras en l'appelant « mon
chéri ». Il me souriait tristement. Il redevenait
tout à fait content quand je lui disais que j'aimais mieux faire du vélo avec lui car je n'avais
pas peur. Il se redressait, prenait un air satis-
fait et condescendant en me hissant sur le cadre
pour une nouvelle promenade.

Mes parents voyaient ma camaraderie avec
les jumeaux avec satisfaction, ignorant nos bêtises, rassurés de me savoir avec des « grands »
et heureux de m'éloigner de la maison où mes
jeux et mes cris commençaient à lasser un peu
la vieille demoiselle.

Je garde, de ce court temps passé dans le
Lot, un souvenir émerveillé. La beauté, la lu-

mière de cette région me charmèrent dès le premier jour. Ma turbulence se calmait quand,
assise sur le mur du potager, je regardais au
loin ces bois, ces collines, ces villages, ces plaines
resplendissant sous ce ciel exceptionnel.

Blanche n'oubliait jamais de souhaiter une fête ou un anniversaire. A chacun de ces événements importants, je recevais par la poste un cadeau, le plus souvent un livre, puisqu'elle savait que rien ne pouvait me faire plus plaisir, accompagné d'une carte aux couleurs criardes. Quand elle était à paillettes, j'étais au comble du bonheur. Une des grandes joies de Blanche était de réunir tous ses enfants et petits-enfants. A chaque fête familiale, mariage, baptême, communion, Pâques, Nouvel An, elle aimait avoir le plus de monde possible auprès d'elle. Là, elle m'oubliait un peu et cela me rendait triste et jalouse et plus turbulente que jamais.

C'est à l'occasion d'une fête de Noël qu'elle me fit la plus grosse peine de ma petite enfance. J'avais été durant des mois, il est vrai, odieuse.

Pinçant ma petite sœur, tirant la langue aux gens dans la rue, donnant des coups de pied au chat quand il ne voulait pas que je lui mette le bonnet ou le manteau de ma poupée, découpant les images des livres, volant le sucre et le chocolat, me précipitant main levée sur tous ceux qui me contrariaient, sautant, criant, abîmant tout ce qui me tombait sous la main. Un amour d'enfant.

Blanche m'avait promis que si je ne devenais pas plus sage, le père Fouettard m'apporterait pour Noël des verges ou un martinet. Je haussais les épaules, disant que ce n'était pas vrai et que le père Noël m'apporterait plein de jouets et empêcherait le père Fouettard de venir.

Le père Fouettard vint quand même.

La veille, j'avais été à peu près sage car j'étais tout de même un peu inquiète. Je sentais bien que le père Noël aurait du mal à dissuader le père Fouettard. J'avais été me coucher de bonne heure après avoir mis, devant la cheminée de la chambre de Blanche, mes souliers.

Le lendemain, tôt réveillées, ma sœur et moi attendions avec impatience que l'on vienne nous chercher. N'y tenant plus, j'allais me lever quand la porte s'ouvrit sur Blanche, enveloppée de sa longue robe de chambre en douce laine gris pâle qui nous dit :

« Je crois bien que le père Noël est passé. »

Quels cris, quelle cavalcade dans l'escalier ! Je bousculai ma sœur pour passer la première. La chambre de Blanche était illuminée par les bougies du sapin, les guirlandes, les boules, les anges étincelaient. Je m'arrêtai, le cœur battant. Qu'allais-je découvrir. Serait-ce les meubles de poupée, la cuisinière, le jeu de construction, les livres demandés au père Noël dans ma lettre ? Je sentais sur moi tous les regards de la famille. Maman semblait triste et inquiète. J'allai vers la cheminée qui disparaissait sous les paquets multicolores. Je cherchai ce qui pouvait être à moi. Je m'immobilisai. A la place des jouets tant attendus se dressaient dans ma chaussure les verges tant redoutées. Un grand froid m'envahit. J'étais abandonnée, trahie, puisque ni Blanche ni maman ne m'avaient suffisamment aimée pour empêcher ça.

Je me retournai et les regardai tous, lentement. Ils riaient (tous ? Ah ! je ne sais plus) comme à une bonne plaisanterie.

« Tu vois ce qui arrive aux enfants méchants.

— Cela t'apprendra, la prochaine fois, tu
feras attention.

— Et si cela ne suffit pas, le père Fouettard
viendra te chercher.

— Regarde tous les cadeaux de Chantal.
Elle est mignonne, elle. »

Une brusque chaleur m'envahit, je poussai
un hurlement de rage et me précipitai sur les
verges. J'essayai de les briser. N'y parvenant
pas, je me jetai sur Blanche, sur ma sœur et
je les frappai de toutes mes forces. Mon père
me les arracha des mains et me donna une fes-
sée. Ma mère s'interposa et me transporta hurlante hors de la pièce. Elle tenta de me calmer,
me disant que c'était pour rire, que le père
Noël avait quand même pensé à moi. Rien n'y
fit. Je ne pensais qu'à l'affreuse humiliation.
Quand Blanche m'apporta le fameux cadeau,
les meubles de poupée dont j'avais tellement
envie, verts, comme j'en rêvais, je les jetai à
terre et je les piétinai.

Les jours qui suivirent furent des jours sombres. Je passais mes journées accroupie dans
un coin du grenier, berçant machinalement ma

poupée, essayant de lire ou de dessiner, pleurant le plus souvent. Je ne parlais pas et je
mangeais à peine.

« Ça lui passera », disait mon père.

Cela passa en effet. Mais plus jamais je ne
pus faire confiance à un adulte. Je me coupai
de la famille, ne parlant plus que de choses sans
importance. Toutes les peines et les joies de mon
enfance ne furent désormais connues que de moi.
Jamais plus je ne fis de confidences à Blanche
ou à maman. Quand j'avais un problème à
l'école ou avec mes petites camarades, j'essayais
de le résoudre seule. Je n'y parvenais pas toujours, mais je serais plutôt morte que d'en
parler à la maison. Par la suite, cela donna
des catastrophes.

Blanche accomplissait deux fois par an un
rite important. L'un au printemps, l'autre à
l'automne : rendre visite à sa couturière. Elle
procédait en deux temps. D'abord, le choix des
étoffes sur des carnets d'échantillons. Ensuite,
le tissu étant arrivé, le choix du modèle et la
vérification des mesures. Cela durait parfois
longtemps. Car Blanche, vouée au noir et au
gris, avait beau choisir presque toujours la
même forme de robe ou de manteau, elle ne

négligeait pas le détail qui fait nouveau et élégant. Tout était donc dans le décolleté, le monté de la manche, du poignet, les boutons. Une année, pour Pâques, cédant à mes instances, elle s'était fait faire une robe imprimée gris pâle et blanc. Elle était ravissante dans cette toilette qui la rajeunissait. Et, bien que tout le monde lui en fît compliment, elle l'a mise très peu, la trouvant « trop jeune ». J'aimais l'accompagner aux essayages, voir le vêtement se construire sur elle. De plus, Mme Denis me donnait toujours des bouts de tissus avec lesquels je faisais des robes pour mes poupées. Quelquefois, une cliente était là avant nous. Presque toujours, Blanche et elle se connaissaient. Là, comme le dimanche matin chez la pâtissière, les ragots allaient leur train, d'autant que la couturière, de par sa profession, était au courant de tout. Elle baissait parfois le ton à cause de ma présence, mais pas assez souvent cependant pour que je n'aie pas une image précise de la société de notre petite ville. Blanche disait ne pas aimer les racontars, mais elle ne faisait rien pour les empêcher.

Un hiver sur deux, Blanche commandait un nouveau manteau. Comme c'était un gros investissement, le choix du tissu, de la doublure, de la forme était minutieux. Ce manteau devenait le manteau du dimanche et des jours de fête, le précédent devenait celui de tous les jours. Les vieux vêtements étaient donnés aux Petites Sœurs des Pauvres.

Une année, Blanche nous fit faire, à ma sœur et à moi, des jupes plissées bleu marine et des chemisiers de laine rouge. Cela nous allait très bien et nous donnait l'air de pensionnaires sages. Le choix du chapeau était aussi important. Mais chez la petite modiste de la place du Marché, il n'y avait pas grand choix. Aussi, Blanche prenait-elle la forme la plus simple, quitte à l'agrémenter d'un joli ruban ou d'une fleur du même ton.

Blanche portait un ruban autour du cou. C'était un simple ruban blanc, assez rigide pour ne pas se plier. Les jours de fêtes, elle y accrochait un bijou. Cela lui allait très bien et faisait remarquer davantage son port de tête.

Tous les autres travaux de couture étaient effectués à la maison par une femme qui venait deux fois par mois, à la journée.

Blanche ouvrait la machine à coudre à pédale, préparait les vieux draps dont on ferait des torchons, les vêtements à repriser, la fine toile dans laquelle on taillait les chemises de jour ou de nuit que Blanche broderait ensuite, les petites robes d'été pour les enfants...

J'étais très sage les jours de couture. Comme si ces travaux calmes m'apaisaient.

Blanche me donnait un travail, le plus souvent un ourlet. Je m'appliquais, mais je n'étais pas très douée. De même pour les reprises, surjets et autres coutures anglaises. Par contre, je me révélais très habile pour la broderie et la tapisserie. Elle me taillait des robes pour mes poupées, que je devais coudre. Ça, j'aimais bien. Elle m'apprit aussi à tricoter et, très vite, je fus capable de faire des chaussons ou des brassières à ma grande poupée. Elle me donnait la boîte à laine et je faisais mon choix parmi les pelotons de toutes les couleurs.

Lucie, elle, ne venait que tous les deux ans à la ville pour se faire faire des vêtements. Comme Blanche, elle m'emmenait avec elle. Elle n'avait pas la même couturière, celle de Blanche étant considérée comme la plus élégante

de l'endroit. Mme Renaud, la couturière de
Lucie, était une bien brave femme, âgée déjà,
mais si vive, si douce que j'avais un grand
plaisir à la voir. Comme Mme Denis, elle aussi
me donnait des chutes de tissus.

Le choix de Lucie était vite fait. Une étoffe
noire, solide pour le manteau, noire et plus
légère pour la robe. Elle n'acceptait qu'un seul
essayage, n'ayant pas de temps, disait-elle, à
perdre en frivolités. Chère Lucie, comme le
temps avait rendu raisonnable la jolie rousse
coquette qui passait des heures à Paris à choisir
un bout de dentelle ou une fleur pour son
corsage. J'aurais voulu la couvrir de soie et de
mousseline, enfiler ses pauvres mains tellement abîmées par les travaux de la terre dans
de fins gants de chevreau gris, voir ses pieds
chaussés d'escarpins légers, sa jambe moulée
dans un bas de soie gris fumé, qu'elle ait des
dessous de soie pâle comme les putains et les
reines. Au lieu de ça, ses chemises étaient de
grosse toile, ses bas de rude laine, ses chaussures épaisses et laides, ses gants... en avait-
elle seulement ? ses robes, des housses de serge
noire.

Lucie, ma douce, ma belle, ma rêveuse enfer-

mée, mon livre ouvert sur les bois et les champs,
toi qui m'as appris les odeurs des matins d'automne et celles fortes et lourdes des soirs d'été,
toi qui affrontais l'orage, le visage levé, écla-
tant, comme pour provoquer le ciel, toi dont
les hanches attiraient la main des hommes, toi
qui aimais rire et danser, toi que j'aurais aimé
caresser, embrasser, dont le corps était bon et
accueillant autant que le cœur, toi la silencieuse
qui ne parlait qu'aux arbres et aux pierres du
chemin, toi dont je sens la présence en moi,
ma rousse, ma rebelle, mon affamée, mon enfant, grand-mère... tu me manques.

La seule présence de Lucie faisait exister la
maison. Comme si toute la force, tout le désir
de vivre de la communauté s'étaient réfugiés
chez cette femme. Quand elle était absente, tout
allait mal. Les bêtes tombaient malades, les
poules ne pondaient plus, les fromages étaient
ratés, les habitants de la ferme se disputaient
et ceux du hameau semblaient si tristes que
c'en était pitié. Je pense qu'elle avait le don
de « manger le mal », car, quand quelqu'un de

sa parenté ou un ami — mais elle n'avait que des amis — était souffrant ou malade, elle lui prenait la main et, la serrant, restait un long moment immobile.

« Ah, ça va mieux », disait le patient.

Elle ne disait rien ou recommandait une tisane quelconque et s'en allait en souriant. Mais ces soirs-là, elle était plus lasse que d'habitude et ses yeux étaient violemment cernés. Elle se couchait, n'ayant bu qu'un bol de lait. Elle tremblait.

« Comment fais-tu ? »

Elle tapotait la joue.

« Il suffit d'aimer, petite. »

Et ça, elle savait.

BLANCHE me regardait souvent, pensive. Je ne crois pas qu'elle ait regardé ainsi aucun de ses enfants. Il y avait dans son regard comme une interrogation. Pensait-elle à sa propre enfance si vide de tendresse et de jeux ? J'avais l'impression que, par moments, elle m'en voulait. Ma joie de vivre lui était-elle si pénible ? Ma turbulence lui faisait-elle regretter sa sagesse ? Mes cheveux étaient-ils trop roux, trop ébouriffés ? Mes mains trop souvent sales et mes vêtements trop souvent déchirés ? Mon amour des livres l'irritait particulièrement, bien qu'elle m'en offrît souvent. Avec quel mépris apparent elle disait :

« Petite bonne à rien, toujours plongée dans tes livres. Tu ferais mieux d'apprendre tes leçons. Tu vas t'abîmer les yeux. »

Je ne répondais rien. Je prenais mon livre et

j'allais me réfugier au grenier. L'importance des greniers, dans mon enfance, est considérable. D'abord, c'est la pièce la plus haute de la maison, on se rapproche du ciel, et quand on escalade l'étroite fenêtre, c'est assez haut pour être sûr de se tuer si l'on se jette en bas.

Souvent, des voisins affolés venaient prévenir Blanche que j'étais assise, les jambes pendant dans le vide.

Quelquefois, perdue dans ma rêverie morbide, je ne l'entendais pas monter. Elle me saisissait à bras le corps et me serrait convulsivement contre elle et me donnait ensuite invariablement une gifle. Excédée à la fin, elle fit condamner la fenêtre.

Mais la plupart du temps, bien que pensant souvent à la mort, je me contentais de me pelotonner dans un coin sur de vieux coussins et de lire.

Une de mes grandes joies était de me déguiser. Pour ce jeu, nous avions toute l'indulgence de Blanche et de maman qui s'amusaient autant que nous. Cela se passait surtout les jours de pluie, quand toute promenade était interdite. Blanche sortait des malles, des armoires, de vieilles robes de bal en satin jauni ou en

organdi, des éventails cassés, de longs gants à
petits boutons, des chapeaux incroyables, des
voiles de mariée déchirés, des culottes fendues
qui nous faisaient rire.

Je décidais d'un thème de jeu et de déguisement. J'aimais bien jouer aux bohémiens, aux
mille et une nuits, à la poursuite cosaque, à
la reine, un peu au mariage que Chantal, ma
petite sœur, adorait. Bien entendu, je me réser-
vais le meilleur rôle sans que cela rencontrât
la moindre opposition de la part de Blanche,
de maman ou des autres enfants, cousins ou
amis. Il était admis une fois pour toutes que
j'étais le chef et que je dirigeais le jeu. Je
n'aurais pas supporté qu'il en soit autrement.
Je me retrouvais donc déguisée en reine des
gitans, en Shéhérazade ou en sultan racontant
d'interminables histoires mimées aux enfants
qui m'écoutaient bouche bée, ou bien alors en
redoutable bandit cosaque. Pourquoi cosaque ?
A cause des steppes, des loups auxquels il fallait
échapper, des ours, des traîneaux, des chevaux
que figurait très bien un vieux polochon entouré
d'une ficelle, de la neige, du froid. De vieux
renards en guise de pelisses ou de toques com-
plétaient l'illusion. Nous faisions des chevau-

chées fantastiques, sautant sur les lits, emportés
par le galop des chevaux emballés. Nous sortions de ce jeu, rouges et épuisés. Pour jouer
à la reine, j'étais ou la reine ou le roi avec une
nette préférence pour ce dernier rôle malgré
les robes de cour. J'avais un faible pour François Iᵉʳ et Louis XIV. Jouer au mariage m'em-
bêtait bien, mais je cédais pour le plaisir de
mettre un habit miniature ayant appartenu à
mon oncle Jean quand il était petit. On lui
avait fait faire ce déguisement à l'occasion d'un
bal costumé pour enfants. Maman me dessinait
des moustaches au charbon de bois, me tendait
le haut-de-forme, et, donnant le bras à ma sœur,
enveloppée de tulle blanc, je faisais le tour de
la maison avec le plus grand sérieux. Quelquefois, nous allions nous faire admirer chez les
voisins.

Quand arrivaient le mardi gras ou la mi-
carême, nous étions toujours les plus inventifs
dans nos déguisements. Nous avions une longue
pratique.

Cela agaçait Lucie, mon goût pour le déguisement. Elle ne comprenait pas « ces bêtises »

et m'accordait rarement le droit de fouiller dans
ses malles. Il est vrai qu'il y avait bien peu de
choses propres au déguisement dans ces pauvres
malles. Quelques longues chemises de nuit usées
jusqu'à la trame, de vieilles jupes noires devenues verdâtres, d'anciens bonnets brodés avec
de longs rubans de velours noir. Un vêtement
cependant me ravissait, me permettant d'être
tour à tour conspirateur, contrebandier, belle
s'enfuyant rejoindre un amoureux : une immense
cape noire à bavolets et capuchon dans laquelle
je m'enveloppais. Je parcourais ainsi les chemins du hameau, me sentant entourée de mystère et de danger. Est-ce à cause du souvenir
de ce jeu que je garde pour les grandes capes
noires une particulière prédilection ?

Lucie et Blanche avaient une grande horreur
de l'eau. Je ne les ai jamais vues se baigner.
Même quand les chaleurs de l'été poussaient
enfants et grandes personnes au bord de l'eau.

Pendant les vacances, nous allions souvent
passer la journée sur les bords de la Gartempe,
à quelques kilomètres de Montmorillon.

A cet endroit, la calme Gartempe prenait des
allures de torrent de montagne. Nous nous
laissions entraîner par le courant, nous accro-
chant aux rochers. Blanche n'aimait pas nous
voir jouer dans l'eau bouillonnante. Elle nous
rappelait à grands cris. Nous ne l'écoutions pas,
nous moquant d'elle, car nous étions bien sûrs
qu'elle ne viendrait pas nous chercher. J'entraî-
nais les cousins et cousines vers l'autre berge,
là où l'eau était calme et où les rochers étaient
faciles à escalader. Nous étions des explorateurs
venus à la conquête de nouveaux pays. Nous
étions environnés de grands dangers : sauvages
embusqués dans les arbres, armés de flèches
empoisonnées, ou cachés dans l'eau, respirant à
l'aide de roseau ; serpents géants, plantes car-
nivores, pièges profonds tapissés de pointes acé-
rées. Nous étions tellement pris par notre jeu
que nous en arrivions à avoir réellement peur.
Le moindre frôlement nous faisait sursauter et
très vite nous décidions de cesser.

C'était la même chose quand on jouait à la
guerre ; bientôt, nous croyions apercevoir un
Allemand avec sa mitraillette ou une grenade
toute prête à la main. La moindre silhouette
inconnue, le moindre craquement nous procu-

raient une peur délicieuse. La faim nous arrachait à nos jeux et c'est en poussant de grands cris que nous rejoignions les grandes personnes. Je restais le plus souvent en arrière, goûtant le silence retrouvé, le murmure de l'eau, les jeux des libellules, l'odeur de la rivière. Il m'arrivait de m'assoupir sur un rocher, bercée par le bruit de l'eau. Les appels de Blanche me rappelaient à la réalité. Que j'avais faim ces jours-là ! Je dévorais à belles dents cuisses de poulet, omelettes froides, tartes et fruits. A l'heure de la sieste, je m'éloignais du groupe avec un livre.

BLANCHE n'aimait pas se mêler à la foule. Je devais user de ruses pour qu'elle accepte de m'emmener à la fête foraine ou au cirque. A Montmorillon, les forains s'installaient sur la place du Marché deux fois par an. Ils restaient une semaine, je crois. Comme la plupart des enfants, j'aimais cette ambiance, ces musiques, la foule bon enfant, les militaires goguenards, les filles au rire pointu, les guimauves multicolores, le train fantôme et surtout le dragon. Ce dragon me semblait la chose la plus extraordinaire du monde. Quand, ayant bien supplié Blanche, j'avais obtenu la permission de monter sur le manège et rabattu la barre de protection sur mes genoux, je fermais les yeux, prête au plaisir. Le dragon démarrait lentement, montant et descendant, puis il allait de plus en plus vite. Je me cramponnais à la

barre, la tête rejetée en arrière, craignant à chaque instant d'être éjectée de l'engin. La bâche
imprimée d'écailles grossièrement peintes se re-
fermait lentement. Une appréhension délicieuse
durcissait mon ventre, une vague nausée m'envahissait, les cris des filles m'excitaient, je hur-
lais à mon tour. La bête ralentissait, la bâche
se relevait lentement sur des couples rouges aux
vêtements en désordre. Je descendais du manège
en titubant.

Bien que n'aimant pas les attractions de la
fête, Blanche faisait une exception pour les
monstres. Je n'avais pas besoin de lui demander
de m'emmener voir la femme à barbe, ni la
femme la plus grosse du monde, ni les nains, ni
les animaux à deux têtes ou à trois pattes. Elle
se dirigeait vers l'entrée des tentes ou des baraques avec dignité, peut-être un peu plus raide.
Une fois entrée, elle regardait longuement le
monstre, les lèvres pâlies, les narines pincées,
fascinée. Je devais la tirer plusieurs fois par le
bras pour l'arracher à sa contemplation. Elle
sortait de là comme étourdie, tapotant ses cheveux, son manteau, comme une fille qu'on
aurait un peu lutinée. Pour nous remettre, nous
allions manger des gaufres et de la barbe à papa.

Elle me trouvait trop petite pour monter dans les autos tamponneuses.

Pour le cirque, c'était plus facile, Blanche ne se faisait pas trop prier. Pour ne pas avoir à faire la queue, elle avait pris les places dans l'après- midi. Nous arrivions toujours avec un quart d'heure d'avance sur le début de la représentation. Quelquefois, nous avions des places dans une loge, c'était un grand jour. Mais la plupart du temps, nous étions mêlées à la foule. L'orchestre jouait à grand bruit, des clowns gambadant faisaient patienter le public par leurs grimaces et leurs cabrioles. Un roulement de tambour et le spectacle commençait.

Je n'ai aimé le cirque que très peu de temps. Seuls les trapézistes et les lions m'amusaient.

Parmi les fêtes de mon enfance, il y avait des kermesses de l'Institution Saint-M. auxquelles les enfants participaient activement. Nous étions mobilisés au moins deux mois à l'avance par les répétitions des différents exercices que nous devions montrés. Nos mères et nos grand-mères effectuaient divers travaux d'aiguilles qui se-

raient vendus dans les stands tenus par les élèves les plus grandes et les plus méritantes. Les
plus petites préparaient dessins, guirlandes et
danses.

Durant tous ces préparatifs et les répétitions,
la discipline se relâchait et une animation
joyeuse et inaccoutumée régnait dans les classes.
Je profitais de ce relâchement pour me sauver
dans le jardin, rêver sous les charmilles et manger toutes les groseilles à maquereau dont j'étais
très friande, à la grande colère du vieux jar-
dinier, le père Lucien.

Comme j'étais une des plus jolies enfants de
l'école et que mes cheveux frisés étaient plus
courts que ceux de mes camarades, je jouais
souvent le rôle du Prince Charmant, dans les
pièces composées pour ces occasions par les
religieuses, pièces d'une niaiserie à pleurer et
qui étaient cependant fortement applaudies par
les spectateurs.

Pour un de ces spectacles, Blanche et maman
m'avaient confectionné un costume dont je
n'étais pas peu fière. Elles avaient teint en jaune
vif un caleçon long, m'avaient fabriqué une
tunique de taffetas grenat et des poulaines de
feutre de même couleur. Tunique et poulaines

étaient bordées de guirlantes empruntées à l'arbre de Noël. Pour compléter le costume, une de mes tantes m'avait prêté une petite cape de bal de paillettes argentées. J'étais un délicieux petit page. Mlle D. elle-même me regardait avec tendresse. J'ai oublié la pièce qui était certainement très mauvaise.

Une des corvées de la kermesse était le défilé rythmé que nous effectuions dans la cour, devant les parents et amis, toutes vêtues d'une jupe plissée bleu marine et d'un chemisier blanc, des fouets de rubans de papier multicolores aux mains, que nous devions agiter en cadence au son d'une musique bruyamment déversée par des haut-parleurs dissimulés dans les arbres. A chacun de ces défilés, j'étais morte de honte. Malgré tous mes efforts : pieds tordus, mal de ventre, etc., je n'y coupais pas.

« CETTE petite travaille de plus en plus mal en classe et les sœurs disent qu'elle est insolente et impertinente. N'a-t-elle pas tenu tête à M. l'archiprêtre pendant le cours d'instruction religieuse, en mettant en doute non seulement la bonté de Dieu, mais son existence. Sœur Saint-André, qui assiste M. l'archiprêtre, a dû la mettre à la porte », disait Blanche à maman qui levait les bras en signe d'impuissance.

J'étais souvent mise à la porte des cours, qu'ils soient d'instruction religieuse, d'anglais ou de mathématiques. Cela m'ennuyait tellement que je faisais des pitreries pour me faire exclure de la classe. Pour l'instruction religieuse, c'était différent, c'était à cause de mon « mauvais esprit », comme disait la supérieure. En fait, c'était à cause de ma curiosité.

Le sujet me passionnait et j'aimais Dieu. Je
voulais le comprendre, aussi tout naturellement
je posais des questions à ceux qui me semblaient
le plus à même de pouvoir m'apporter une réponse : les prêtres et les religieuses. Je n'avais
jamais de réponse satisfaisante. Ou bien c'était
un « mystère » ou bien j'étais « une dangereuse
janséniste ». De toute façon, je n'avais pas la
grâce et je serais damnée.

Je l'aimais pourtant bien, ce Dieu dont on
nous parlait d'une manière niaise et convenue.
A l'institution Saint-M., deux fois par an, nous
faisions une retraite de trois jours. Je crois que
peu d'enfants se préparaient à ces retraites avec
plus de sérieux et de ferveur que moi. A chacune d'elles, j'attendais la révélation physique
de la présence du Très-Haut. Dans mon orgueil
enfantin, j'avais l'impression que si Dieu me
connaissait mieux, il m'aimerait... Ne l'aimais-je
pas, moi qui ne le connaissais qu'au travers de
la Bible et des Evangiles, du débile catéchisme
et de ses servants dont pas un n'était digne de
parler de Lui ? Que d'efforts pour essayer de
me corriger de mes défauts : mensonge, gourmandise, paresse, coquetterie, insolence. Quelle
peine devant mes péchés dont je m'exagérais

la gravité. Entre les péchés véniels et les péchés mortels, je m'y perdais un peu. Heureusement, il y avait la redoutable confession. Il était recommandé de se confesser une fois par semaine. J'arrivais tremblante à l'église où l'archiprêtre confessait. Je laissais souvent passer mon tour, tant je redoutais cet instant. Quand je ne pouvais plus l'éviter, je m'agenouillais, le cœur battant à tout rompre. Je débitais mécaniquement mes pauvres péchés de petite fille, persuadée que l'archiprêtre voyait dans les moindres recoins de mon âme. Plus tard, quand j'ai omis d'avouer certaines fautes, son regard me poursuivait jusque dans mes rêves. Quand il me donnait l'absolution et comme pénitence dix *Pater* et dix *Ave*, un énorme soulagement m'envahissait. Les prières dites, je me précipitais hors de l'église et ma joie était telle de ne plus être en état de péché, qu'il n'était pas rare que, dans mon euphorie, je fasse aussitôt une bêtise. Dès qu'elle était faite, j'étais consternée.

Pendant les trois jours de la retraite, les non-pensionnaires devaient déjeuner à l'école, afin de n'être pas distraites par le monde. Ces jours-là, l'ordinaire de la cantine était des plus simples. La mortification s'étendait jusque dans nos

assiettes. Le silence était de rigueur, le travail
de classe était remplacé par des lectures pieuses,
de longues stations à la chapelle. Le dernier
jour, nous nous rendions en procession à la
messe de clôture. Sur l'autel, dans un plateau
d'argent, de petits papiers pliés sur lesquels
était inscrit notre nom surmonté d'une croix.
C'étaient nos bonnes résolutions, nos promesses
à Dieu qui étaient bénies par le prêtre afin de
nous aider à les tenir. A la fin de la messe, la
supérieure prenait les papiers un à un, appelait l'enfant dont le nom était inscrit et le lui
remettait en disant :

« Dieu vous garde, Geneviève ; Dieu vous
garde, Catherine... »

Quand j'entendais mon nom, je me levais
pleine de paix et de bonheur. J'avais l'impression que mes pieds ne touchaient plus terre tant
je ressentais la présence de Dieu en moi. J'étais
enveloppée par son immense bonté. Je marchais vers l'autel, accompagnée par le chant de
l'harmonium dont jouait Mlle Estelle, le pro-
fesseur de musique. Je tendais la main en souriant à la supérieure. Elle me donnait mon papier
sans sourire et me disait la formule consacrée
du bout des lèvres. Cela n'arrivait pas à tarir

ma joie, mais mettait quand même une ombre de tristesse sur cette journée. Elle ne m'avait donc pas pardonné ?

Un jeudi après-midi de juin, ayant été une nouvelle fois punie pour avoir dessiné en classe au lieu de faire mes devoirs, Mlle D. m'avait mise en retenue. J'étais furieuse, d'autant qu'avec des camarades, nous devions aller explorer les grottes de la route de Saint-Savin et du château de Prunier. On avait préparé notre expédition depuis longtemps, n'oubliant ni les lampes électriques, ni les cordes, ni les bougies. Ce n'était vraiment pas de chance.

Les cours et les classes de l'institution étaient vides. Les pensionnaires étaient en promenade. Un silence inaccoutumé régnait sur les lieux. Je traversai la cour principale pour me rendre dans ma classe où je devais faire mes lignes. Quelqu'un, pas très loin, se mit à fredonner. Je m'arrêtai, un peu inquiète, tant ce silence insolite m'avait fait croire que j'étais seule. Je levai la tête vers les hautes fenêtres. Une longue chevelure noire pendait à une des fenêtres, brossée lentement par sa propriétaire. J'étais fascinée par la beauté du geste, par le mouvement lent et voluptueux du bras. Je ne voyais pas quelle pensionnaire pouvait posséder des cheveux d'une telle beauté et d'une telle longueur. La tête qui portait cette chevelure la rejeta en arrière dans un mouvement d'une grâce et d'une coquetterie certaines. Je restai stupéfaite. Ces cheveux, cette grâce, cet air qui n'était pas d'un cantique appartenaient à la supérieure. Elle me vit. Son étonnement égalait le mien. Nous restâmes un long moment à nous dévisager. Moi éblouie par sa beauté, sa jeunesse que je n'avais pas remarquées sous la cornette. Elle, saisie, comme quand on est surpris commettant une mauvaise action.

« Que faites-vous ici, mademoiselle ? » me dit-elle d'une voix dure.

Je lui expliquai que j'étais punie et j'ajoutai :
« Que vous êtes belle, ma sœur ! »

Son beau visage fut déformé par la rage :
« Sortez, mademoiselle, sortez !

— Mais, mademoiselle D. ...

— Sortez, allez-vous-en, allez-vous-en ! »

Je me sauvai en courant, bouleversée par une telle colère.

J'allai, songeuse, rejoindre mes camarades. Ils étaient déjà partis. Je décidai de les rejoindre par la rivière. J'allai détacher ma périssoire

qui était accrochée au mur du jardin des A.
donnant sur la Gartempe. Je me déshabillai et
pris sous le banc un vieux maillot de laine
que je laissais toujours là. Je descendis la rivière,
poussée par le faible courant, me contentant
de diriger la légère embarcation. Je n'étais pas
pressée d'arriver. Je songeais à la scène de la
fenêtre. Je la jugeais durement. N'avais-je pas
non seulement surpris la coquetterie de la supérieure, mais son mensonge, ce qui était plus
grave ? En effet, peu de temps auparavant, elle
nous avait expliqué les règles de son ordre,
notamment le sacrifice par les religieuses de
leur chevelure et l'obligation d'avoir sous le
bonnet les cheveux ras en guise d'humilité. Je
redoutais de faire les frais d'une telle découverte. Hélas ! je ne me trompais pas.

Mais, peu à peu, je me laissais envahir par
le bien-être d'être là, seule, sur l'eau, caressée
par le soleil, accompagnée par le chant des
oiseaux ; le parfum des prairies se mêlant à celui
de l'eau me faisait sentir tout le bonheur d'exister et la joie de ce jour de vacances inespéré.
Les pêcheurs à la ligne, qui me voyaient souvent
sur la rivière, me faisaient un petit signe de la
main auquel je répondais.

Ayant passé deux écluses, je retrouvai mes camarades devant le château de Prunier. En jouant dans ce château à demi ruiné et inhabité, nous avions découvert dans les caves ce que j'appelais pompeusement des oubliettes. Lectrice assidue d'Ann Radcliffe, de Walpole, de Maturin, de Walter Scott, du vicomte d'Arlincourt, bref, de tous les maîtres du roman noir, j'avais excité l'imagination de mes amis en leur parlant de squelettes enchaînés, de passages secrets, de souterrains et autres cachots.

Aujourd'hui, nous voulions vérifier une de mes hypothèses : un souterrain devait sûrement déboucher à la Gartempe ; c'est pourquoi certains d'entre nous étions venus en barque afin de mieux se rendre compte. Nous ne trouvâmes rien. Je suggérai de monter au château et d'explorer à nouveau la cave d'où partaient trois souterrains dont deux complètement obstrués par des éboulis de pierres et de sable. Tous les enfants furent d'accord. Je pris dans la périssoire un sac contenant une lampe électrique, des bougies, mon lance-pierres et mon couteau.

Une fois dans la cave, je me glissai à quatre pattes dans le souterrain qui semblait le plus dégagé. J'allais en avant car aucun des garçons

ne voulait entrer le premier et l'autre fille du
groupe pleurnichait en disant qu'elle avait peur
des bêtes. Moi aussi, mais pour rien au monde
je ne l'aurais avoué. J'avançai donc, le cœur
battant. L'étroit tunnel allait en s'élargissant,
bientôt je pus me redresser et je sortis dans une
vaste grotte. J'apercevais assez loin une faible
lueur de jour, j'avais donc raison, il y avait une
sortie vers la rivière. Toute notre petite troupe
était debout, un peu rassurée. Il y avait dans l'air
comme un froissement de soie, nous nous regardions sans comprendre. Nous entendions par
moment de petits cris, puis un grand bruit
d'ailes. Francine se mit à pleurer. Je lui ordon-
nai brutalement de se taire. Grâce à mes lectures je venais de comprendre l'origine de ce
doux bruit et de ces petits cris : les vampires.
Ce n'était, bien sûr, que des chauves-souris, mais
vampire faisait plus sérieux. Bien qu'effrayés,
nous fîmes face courageusement au péril. Nous
sortîmes nos lance-pierres, prêts à toute éven-
tualité. Francis et Yves éclairèrent la voûte.
Quelle horreur ! La pierre disparaissait. On ne
voyait que les chauves-souris se balançant doucement, certaines commençaient à déplier leurs
ailes. Une grande peur m'envahit. Je ramassai

de petites pierres, j'ajustai mon lance-pierres et
je visai les animaux. Je n'ai jamais oublié le
bruit mat du caillou sur les corps tendres des
chauves-souris et le choc sourd de leur corps
tombant sur le sol. Une folie de peur et de
meurtre m'envahissait. Les chauves-souris affo-
lées volaient dans tous les sens, se heurtant aux
parois de la grotte, frôlant nos cheveux. Combien de temps dura notre massacre, je n'en ai
pas idée. Tous les enfants s'étaient enfuis. Il
n'y avait plus qu'Yves et moi. Nous étions dans
l'obscurité, ayant laissé tomber nos lampes. Il
craqua une allumette. Quel carnage ! Une vingtaine de chauves-souris gisaient sur le sol. Les
autres avaient disparu ou se terraient dans de
sombres recoins. L'allumette s'éteignit, il en
alluma une autre après plusieurs tentatives, tant
ses mains tremblaient. Nous nous regardions
avec effarement. Yves avait les cheveux couverts
de toiles d'araignée et de salpêtre, des égra-
tignures et des traînées noires sur le visage, la
peau des mains arrachée ; j'étais dans le même
état. L'allumette s'éteignit. Je me blottis contre
lui. Il me serra fort. Sa bouche chercha la
mienne. Je tremblais de peur, de désir, de dégoût
mêlés. Un brutal plaisir me saisit des lèvres au

ventre. J'avais envie de morsures et de baisers.
Je jetai mes bras autour de son cou en me frottant contre lui. Son sexe bougea. Tout le corps
me brûlait. Sa main maladroite pétrissait mes
seins naissants. Je m'entendais gémir. Nous tombâmes assis dans la poussière. Ma main rencontra un petit corps d'une douceur hideuse. Je poussai un cri et me précipitai vers la lueur. C'est en
rampant que j'arrivai au bout de l'étroit tunnel.
Un buisson d'épines en fermait l'entrée. Yves
et moi, à coups de pied, de pierres, avec nos
mains nues, nous parvînmes à nous tirer de là.
Nous n'étions pas beaux à voir, les mains et
le visage arrachés.

« Tu vois que j'avais raison et qu'il y a bien
une sortie du côté de la rivière », dis-je triomphante.

Il acquiesça et voulut me prendre dans ses
bras. Je l'écartai brusquement sans bien savoir
pourquoi. Il avait fallu si peu de choses tout
à l'heure pour que de petite fille, je devienne
femme. Le temps n'était pas venu.

Nous rentrâmes à pied, trop fatigués pour
remonter la rivière. Francine, Gérard, Michel,
Francis, Jean-Claude nous suivaient, un peu honteux de nous avoir abandonnés. Blanche, en me

voyant arriver dans cet état, fut partagée entre deux sentiments : la pitié en me voyant si déchirée, et la colère. Elle me mit du mercurochrome, ce qui fit que, pendant plusieurs jours, je ressemblai à un Indien.

J'avais oublié la scène de la fenêtre. Je m'endormis, fourbue mais heureuse.

J'AI de la guerre des souvenirs mélangés et contradictoires. J'ai le souvenir d'étés radieux, pleins de joies et de jeux. De longs séjours heureux chez Lucie. Parallèlement, quand je pense à cette période, c'est le froid que je retrouve. Les hivers furent-ils si froids dans le Limousin et les étés si chauds dans le Quercy ? Pendant quelques mois, nous avions habité Paris. La guerre nous poussa, comme tant d'autres, sur les chemins de l'exode. Nous prîmes, maman, ma sœur et moi un des derniers trains quittant la gare d'Austerlitz pour aller nous installer chez Blanche. J'avais l'impression de revenir chez moi.

Je ressentais pour cette guerre une grande curiosité. J'étais triste de ne pouvoir y participer. Très vite, je choisis mon camp, ne faisant qu'imiter mon entourage qui se lança dans la lutte active ou passive contre l'occupant. Comme lui, je haïssais les Allemands, et comme lui, je jouais au maquis. Personne autour de moi n'accomplit d'actes de haute bravoure, mais quotidiennement, on manifestait sa résistance. Les uns faisaient passer à des gens traqués la ligne de démarcation, on aidait des juifs à se procurer de faux papiers, on se réunissait pour écouter Radio-Londres, essayant à travers les messages donnés de deviner l'heure et le jour du débarquement, d'autres allèrent dans les maquis.

Nous vivions dans le récit des horreurs vraies ou supposées commises par les Allemands dans le Poitou et le Limousin. Nous évitions, à Limoges, de passer dans une certaine rue, car là se tenaient les salles de tortures de la Gestapo et l'on entendait, paraît-il, les cris de supliciés. Cela me faisait tellement peur qu'à la vue d'un uniforme vert je m'enfuyais. De plus, je devais les attirer car plus d'un tenta de me parler ou de caresser mes cheveux. Je n'ai jamais oublié le regard malheureux que me lança un soldat qui avait ramassé le ballon avec lequel je jouais et fait signe de venir le chercher, lorsque je le lui arrachai des mains en le traitant de sale Boche.

Par un beau matin d'été, il devait être près de six heures, nous allions prendre le train pour aller chez Lucie. En arrivant en vue de la gare, nous vîmes place du Champ-de-Juillet de nombreux camions allemands recouverts de branchages. Mon père nous fit signe de nous arrêter en disant :

« Attention, ils préparent un mauvais coup. »

Nous attendîmes le départ des camions pour reprendre notre chemin.

Le mauvais coup fut accompli. Ce fut Oradour-sur-Glane.

Nous ne revînmes pas à Limoges cet été-là. Mon père nous laissa près de Lucie.

Le bel été que cet été 44 ! La nature semblait en fête. Il régnait dans les villes et les villages une atmosphère d'attente à laquelle j'étais extrêmement sensible. Je ne crois pas avoir été plus turbulente que cette année-là. Je courais de la ferme de Lucie à la maison où nous habitions, de l'étable aux champs, de chez la Sidonie à chez l'Antonine, du grenier au cellier. Sautant, riant, criant.

« Une vraie mouche bouine », disait Lucie.

Les nouvelles n'étaient pas bonnes. On fusil-
lait ferme alentour. Lucie tremblait pour ses fils.
Tous les hommes, jeunes et vieux, avaient quitté
le hameau, il en était de même dans toute la
région. Ils sortaient des bois la nuit pour venir
manger et prendre des provisions. Par mesure
de précaution, ils envoyaient d'abord un jeune
garçon en éclaireur, puis, un à un, ils sortaient.
Je trouvais ces jeux de grandes personnes bien
excitants.

Par une belle fin de matinée, un petit groupe
d'Allemands entra dans le hameau. Je ne compris, dans ce qu'ils disaient, que le mot « maquis ». Je pensai immédiatement à mon père,
à mon oncle. Je me mis à sourire, et lentement
j'allai vers la maison. Je dis à ma mère ce qui
se passait.

« Prends ce pain et va vite chez Lucie la
prévenir. André a couché à la ferme cette nuit.
Si les Allemands t'arrêtent, dis que tu portes ce
pain à ta grand-mère. »

Le cœur battant, toute gonflée d'orgueil devant l'importance de ma mission, je me dirige
vers la ferme. Je souris à l'officier allemand
qui me caresse les cheveux en disant :

« Jolie petite fille. »

J'arrivai chez Lucie :

« Les Allemands cherchent les maquis. »

Je la vois devenir toute blanche et se précipiter dans la chambre voisine en criant :

« Sauve-toi, sauve-toi. »

J'entends une fenêtre s'ouvrir et une galopade effrénée. J'ai sauvé André.

Quand les Allemands arrivèrent, ils ne virent qu'une gentille petite fille et sa grand-mère, l'une lisant et l'autre tricotant.

Dans les champs, nous ramassions fréquemment des tracts lancés des avions. Certains étaient faits par les Allemands, d'autres par Londres. Nous recherchions des douilles d'obus en cuivre. Cela faisait, bien astiqués, de jolis petits vases pour mes autels du mois de Marie ou pour ma crèche.

Certaines nuits, il régnait, dans le hameau, une grande activité. Il devait y avoir un parachutage. Au matin, on apprenait qu'il y avait eu tant de mitraillettes, tant de grenades, tant d'explosifs.

Devant les mines réjouies des hommes et des femmes, je voyais bien que c'était très amusant de jouer à la guerre.

Nous dûmes, les femmes et les enfants, aller nous cacher une ou deux fois, nous aussi, dans les bois car il arriva que des avions, rasant le toit des maisons, passent en mitraillant tout ce qui bougeait. De notre groupe apeuré, montaient des prières. Lucie avait très peur que nous soyons repérés à cause de nos robes claires. Je n'aimais pas cette situation où je ressentais un mélange de peur et de honte qui me donnait le fou rire.

Ce fut cet été-là que je vis revenir mon père, un foulard rouge autour du cou, un béret sur la tête, en chemise à carreaux, chaussé de hautes bottes de cuir noir, une mitraillette en bandoulière, sale et non rasé, l'air exténué et radieux. On s'était battu à Limoges. Les Allemands avaient abandonné la place. C'étaient les bottes de l'un d'eux qu'il portait. J'étais partagée entre le dégoût et l'admiration.

Le lendemain, une centaine d'hommes de

différents maquis prirent position de chaque
côté de la route. Ils arrêtèrent' des camions
allemands, en firent descendre les occupants.
Tous étaient très jeunes. Des plus âgés, aucun
n'était allemand. On les attacha deux par deux
aux pieds des arbres. Sauf un, un Russe, un
Polonais, on ne savait pas, à qui on attacha les
poignets et les pieds, et qu'on installa contre
une meule de paille.

Celui-là m'intriguait fort. Je tournai autour
de lui. Il devait être beau sous cette barbe brous-
sailleuse d'un blond foncé qui lui mangeait la
figure. Il avait dû être blessé car un bandeau
sale et taché lui entourait la tête, ses lèvres
étaient craquelées. Il était drôlement habillé,
seule sa veste déchirée était de l'uniforme allemand. On lui avait retiré ses bottes dans lesquelles il était pieds nus. Il s'appuyait à la
meule, les yeux fermés, l'air las. Je m'approchai
de lui à le toucher. Sans doute sentit-il ma présence car il ouvrit les yeux. Je reçus ce regard
tellement bleu droit au cœur. Je reculai, effrayée,
fascinée. Il me sourit, me fit signe d'approcher.
Je n'osais pas bouger. Mais je le regardais inten-
sément. Il tendit les mains vers moi. Je m'enfuis.

Je revins dans la soirée. Il mangeait une
assiette de soupe, entouré, à distance respec-
tueuse, par les femmes et les filles qui avaient
apporté de la nourriture aux prisonniers. Quand
elles partirent, je m'approchai de lui, je m'assis
en le regardant. Il se mit à me parler dans une
langue que je trouvais belle, mais que, bien sûr,
je ne comprenais pas. Devant mon silence, il
se mit à fredonner un air. Romanesque comme
je l'étais, je trouvais que toute la tristesse du
monde s'était réfugiée là. Il me fit signe de
m'approcher plus près. Il m'appuya contre lui
et m'embrassa les yeux, le front, les lèvres. Un
bonheur triste m'enveloppait. Il sortit mala-
droitement de sa poche une pièce de monnaie
qu'il me tendit. En la prenant, je compris que
c'était tout ce qu'il possédait. C'était une pièce
étrangère. Je la serrai fort dans ma main. Je
devais partir, j'entendais Lucie qui m'appelait.
Je l'embrassai une dernière fois et je me sauvai,
prise de peur à l'idée d'être surprise par Lucie.
On nous avait interdit de nous approcher des
prisonniers.

Cette nuit-là, je me levai, pris un couteau
bien aiguisé, décidée à sauver mon prisonnier.
Je courus jusqu'à la meule, j'en fis plusieurs

fois le tour : il n'était plus là. On l'avait emmené avec les autres. Je m'allongeai à la place qu'il avait occupée, en sanglotant.

« Que fais-tu là, petite ? »

Marc, le chef des maquis, me regardait, m'éblouissant avec la lumière de sa lampe électrique. Je ne répondis pas. Il me fit lever, me prit dans ses bras et me porta jusque chez Lucie où, devant mes larmes, on remit au lendemain les questions que l'on voulait me poser.

Ce fut Lucie qui m'interrogea. A elle, j'acceptai de dire ce que j'avais voulu faire. Elle me caressa doucement. Elle, elle me comprenait. Je lui montrai, suprême confiance, la pièce qu'il m'avait donnée. Elle me dit de la cacher soigneusement et de n'en parler à personne. Ce secret partagé sécha mes larmes autant que la promesse qu'elle me fit qu'on ne lui ferait pas de mal.

En quelques mots, elle dit à Marc ce qu'il en était et demanda qu'on me laisse tranquille et qu'on ne me reparle plus de cette histoire.

J'ai longtemps gardé la pièce et puis, un jour, je l'ai perdue. Je n'ai jamais su de quel pays elle venait.

BLANCHE vivait la guerre avec dignité et mépris. Elle était sûre que ces gens-là ne resteraient pas longtemps chez nous.

Nous vîmes ensemble, par une belle journée, l'arrivée des Allemands dans le Périgord. Elle était venue me chercher à Peyrac pour soulager maman qui était fatiguée. Elle y passa quelques jours, séduite par la beauté de cette région.

Nous étions allées nous promener dans les petits chemins autour du village et nous revenions, les bras chargés de fleurs, par la grand-route, celle qui vient de Limoges. Nous étions très gaies, Blanche souriait de mes propos. Elle s'arrêta, me faisant signe de me taire. Un grondement allant s'amplifiant nous assourdit.

En haut de la côte, nous vîmes apparaître une file, qui nous parut interminable, de camions, de blindés de toutes sortes hérissés de

canons qui me semblaient gigantesques. Les
Allemands entraient en zone libre.

Blanche me serra contre elle. Je sentais tout
son corps trembler contre moi. Une grosse larme
s'écrasa sur ma main. Nous restâmes immobiles,
silencieuses, tout le temps que dura le passage
du long convoi. Nous rentrâmes à la maison,
la tête basse, le cœur lourd. Nos fleurs étaient
restées sur le bord de la route.

C'est durant le séjour de Blanche dans le
Lot que nous allâmes visiter le gouffre de Padi-
rac. Je me faisais une joie de cette promenade
et, pour que ma joie soit complète, j'avais de-
mandé à un petit camarade un peu plus âgé
que moi, réfugié comme moi, Clovis, de venir
avec nous. Nous nous faisions une fête d'être
ensemble. Au cour du déjeuner, j'annonçai,
joyeuse, sa venue.

« Mais ce n'est pas possible, s'écria mon
père, il n'y a pas assez de place ! Les enfants
seront sur les genoux des grandes personnes. »

J'insistai, je pleurai, rien n'y fit.

Nous passâmes cependant chez la grand-mère

de Clovis pour lui dire que nous ne pouvions pas l'emmener.

Il attendait sur le pas de la porte, en habit du dimanche, ses chaussette blanches bien tirées, ses cheveux blonds bien coiffés. Il eut tout un élan du corps vers la voiture bondée...

Oh, la tristesse de ce regard quand on lui dit qu'on ne pouvait pas l'emmener. Quelle honte j'éprouvais.

Je regardai longtemps la petite silhouette immobile, qu'un tournant de la route me cacha. Je ne l'ai jamais oublié.

Je n'ai pas revu Clovis. Il était juif.

L E temps passé à Limoges, à la fin de la guerre, n'évoque pas pour moi de souvenirs très heureux. Nous habitions un meublé rue des Arènes, dans une vieille maison sombre et sans confort. Je dormais recroquevillée dans un vieux lit-cage placé dans le cabinet de toilette, riche en odeurs diverses. J'insistais beaucoup cependant pour demeurer là, malgré le lit devenu trop petit, car j'avais l'impression d'avoir un endroit à moi : ma chambre. Un papier gris, sinistre, déchiré par endroits, couvrait les murs que j'avais essayé d'égayer par mes dessins. La fenêtre donnait sur une cour étroite où étaient les cabinets de l'immeuble et où le boucher, qui habitait en bas, tuait clandestinement des moutons ou des cochons. Je me bouchais les oreilles avec les mains et je m'enfonçais au fond de mon lit pour ne pas entendre les cris des animaux égorgés. Un jour, un voisin tua un canard en lui coupant le cou, et le corps sans tête se sauva dans le couloir, le sang giclant sur les murs. Mon père qui rentrait à ce moment-là et que la vue du sang rendait malade, manqua se trouver mal.

Le reste de l'appartement était composé d'une cuisine assez grande, d'une salle à manger très sombre et d'une grande pièce claire qui servait de salon et de chambre à coucher à mes parents et à ma sœur. Nous nous tenions surtout dans la salle à manger car c'était la seule pièce où il fît suffisamment chaud. Maman y recevait ses amies pour le thé, mon père les siens pour discuter politique et moi j'y faisais tant bien que mal mes devoirs. C'est dans cette pièce que se tenait également mon coin à poupée. Ma sœur et moi avions le droit d'entreposer nos jouets de chaque côté de la cheminée. C'était notre territoire, et malheur à Chantal si elle empiétait sur le mien. En fait, c'était plutôt l'inverse qui se produisait.

Le jeudi, les jours d'hiver, nos petits camarades venaient jouer à la maison, leurs parents étant encore plus misérablement logés que nous. Je montais de petites pièces de théâtre, adaptées le plus souvent de la comtesse de Ségur ou des contes de Perrault. Après maintes répétitions bruyantes et souvent tumultueuses, venait le jour de la représentation. Nous coupions le salon en deux avec des draps. D'un côté la scène, de l'autre la salle où prenaient place les spectateurs. J'avais réquisitionné toutes les chaises de l'immeuble sur lesquelles les voisines, les mères et quelques rares pères s'asseyaient. Je frappais les trois coups et le spectacle commençait.

Que c'était difficile d'être en même temps directeur, metteur en scène, costumier, décorateur et comédien. Les enfants, morts de trac, oubliaient leur rôle, se prenaient les pieds dans leur robe, se bousculaient ou étaient pris de fous rires. Malgré cela, notre public semblait très content et ne me ménageait pas les félicitations. C'était très réconfortant.

Quelquefois, le dimanche en fin de matinée, durant l'occupation, mon père m'emmenait prendre l'apéritif au café Riche, place de la République. Quelle fête ! Il y avait un orchestre jouant les airs à la mode, les lumières étaient éblouissantes, les glaces étincelantes, les sièges de velours rouge somptueux, les clients élégants. Je serrais très fort la main de mon père, impressionnée par tous ces officiers allemands et ces femmes violemment maquillées aux coiffures compliquées, aux robes très courtes imprimées, les épaules enveloppées de renards gris ou noirs, juchées sur de hautes semelles compensées, fumant et riant trop haut.

On regardait beaucoup le bel homme qui tenait par la main une si ravissante enfant. Je le soupçonne de m'avoir emmenée dans cet endroit où je n'avais rien à faire, uniquement pour le plaisir de montrer combien nous étions beaux. Je l'aimais beaucoup à ce moment-là. J'étais très fière de lui.

Quand il faisait beau, maman nous emmenait au jardin public qui fort heureusement était proche de la maison.

Les mères se mettaient toujours au même endroit. Les premières arrivées louaient les chaises pour les autres. Elles sortaient de leur sac leur tricot, ou leur ouvrage de couture. Après les salutations d'usage, les bavardages commençaient. Ce n'était pas toujours joli-joli ce que se racontaient ces dames, la charité chrétienne y était souvent bafouée. Mais que dire, une fois qu'on avait parlé des enfants, des maris, des

difficultés de ravitaillement et échangé des recettes ou des points de tricot ?

Mon jeu favori, était la guerre. Le jardin
d'Orsay s'y prêtait admirablement. Grâce aux
buissons touffus, aux escaliers, aux ruines des
arènes et surtout aux abris creusés dans un
coin du jardin. Il était interdit d'y aller, les ris-
ques d'éboulement étant réels. Mais dès que le
gardien avait disparu au tournant d'une allée,
nous nous précipitions dans ces boyaux de terre.
C'est là que j'ai exploré pour la première fois
le sexe d'une petite camarade.

Jenny avait deux ans de moins que moi, de
longs cheveux châtains coiffés en anglaises, des
yeux au regard doux et sot bordés de longs cils,
toujours joliment vêtue de robes que lui faisait
sa mère. Elle était totalement subjuguée par
moi. Je lui faisais faire tout ce que je voulais
et sa mère ne manquait pas de s'étonner des
bêtises commises par une enfant habituellement
aussi sage.

Je l'avais coincée contre une des parois de
terre et je baissai sa culotte de coton blanc.
J'étais fascinée par ce petit sexe dodu et fermé.
Je tentai d'y introduire un doigt, mais Jenny
pleurnichait disant que je lui faisais mal. Je

la grondai, je la menaçai, je la battis même pour qu'elle accepte d'ouvrir ses cuisses. Quand j'y parvins, je ne fus guère plus avancée. La jolie coque rose resta obstinément fermée. J'étais très déçue.

Les hommes, eux, dans ce domaine, ne me décevaient pas, bien au contraire. Le jardin et surtout les cabinets publics, dissimulés derrière un rideau de troènes, étaient le lieu de prédilection des exhibitionnistes limougeauds. Ma mère m'avait mise en garde contre les « vilains messieurs qui s'intéressent aux petites filles », excitant par là ma curiosité. Ainsi quand m'étant rendue dans les cabinets pour un « petit besoin », je trouvai un homme dans les toilettes des dames, tenant à la main son sexe rougeâtre qu'il agitait dans ma direction, au lieu de me sauver, je suivis attentivement chacun de ses gestes et je m'étonnai que l'engin changeât de proportions.

« Tu veux toucher ? » me dit l'homme.

La gorge nouée, je fis signe que oui. Il s'approcha de moi et me mit son sexe dans la main. C'était dur et doux. Il souleva ma robe et me pétrit les fesses. Il me faisait mal et les grognements qu'il poussait me faisaient peur.

Il me semblait que le sexe de l'homme devenait de plus en plus grand, de plus en plus rouge.

« Elle est belle ma bite, elle te plaît ma pine, petite salope ! »

Pine, bite, c'était donc aussi les noms de cette chose. Je sentais pleine d'importance de connaître un pareil secret.

Etait-ce l'odeur forte de l'endroit, la main de l'homme qui essayait de s'insinuer entre mes fesses, cette chose lourde et tendue, je me sentais toute bizarre, la tête me tournait, j'avais vaguement mal au cœur, comme quand je mangeais en une seule fois la ration de chocolat à laquelle nous avions droit, et surtout j'avais mal au ventre ; une lourdeur étrange, douloureuse et cependant agréable, comme une forte envie de faire pipi.

L'homme sembla me deviner.

« Allez, pisse, petite pute. »

Je m'accroupis. Ma tête se trouva à la hauteur de son sexe. Il le promena dans mes cheveux, puis sur mes yeux, mon nez, enfin sur ma bouche qu'il tenta de forcer. Un brusque sursaut de dégoût me saisit et me relevant brutalement, j'ouvris la porte en remontant ma

culotte, et je me sauvai, poursuivie par les
injures de l'homme. Je me précipitai dans le
coin des mères et je me blottis contre la mienne,
tremblante.

« Allons, allons. Mais, elle va se trouver
mal ! »

Je me retrouvai allongée sur un banc, la tête
sur les genoux de maman.

« Ah, ça va mieux ? Ce n'est rien.

— Ce doit être l'âge », dit une des dames.

Par un beau jour d'été, doux et doré, la petite ville a été « libérée » non pas des Allemands, ils n'ont fait que passer à Montmorillon, mais de l'idée des Allemands. Des résistants sont entrés dans la ville, sales, barbus, rieurs et fourbus.

Les cloches des églises et des chapelles sonnent. M. connaît une animation ignorée jusquelà. Des filles passent se tenant par la taille, chantant des rengaines à la mode, court vêtues de robes claires, la coiffure à hautes boucles, des chaussures à semelles de bois aux pieds. Elles rient sans retenue quand elles croisent des groupes de jeunes garçons qui ricanent en se dandinant. Certaines ont des bouquets de fleurs dans les bras. Même les vieilles femmes vêtues de noir participent à l'allégresse générale, riant et chantant. Les enfants se poursuivent jouant à la guerre. Les vieux qui ont participé à la guerre de 14 sont à l'honneur ; ils tournent leurs moustaches entre leurs doigts ; ils ont mis leur complet du dimanche ; ils bombent leur torse où s'accrochent des médailles ; ils tiennent contre eux des drapeaux enroulés. La fanfare s'est reconstituée, elle a répétée une partie de la nuit et fourbie les instruments qui étincellent au soleil. Leur habillement est des plus hétéroclite, mais bah ! c'est la guerre. Mais maintenant qu'elle est finie, qu'on a gagné, on va voir ce qu'on va voir.

Toute la population se dirige vers le centre de la ville, vers la mairie pour accueillir ses « libérateurs ».

Je descends avec Blanche la grand-rue. Elle a bien du mal à me tenir par la main tant cette atmosphère de fête m'excite. La foule grandit, envahit la place du Marché. Un grand mouvement nous pousse vers le boulevard. Là nous retrouvons maman, mes tantes, ma sœur, la mère C. qui nous a mis au monde maman et moi. Le bonheur est dans tous les cœurs et sur tous les visages. On entend au loin la musique qui joue du côté du monument aux morts.

La foule est massée de chaque côté de la rue. Des gamins arrivent en courant :

« Les voilà, les voilà ! »

En effet, on aperçoit un groupe qui avance au milieu du boulevard. Des cris, des applaudissements partent de tous côtés, les chants éclatent. La *Marseillaise* envahit l'air, le cœur de chacun explose sous l'émotion, le chant guerrier fait se redresser les corps. Ah, quelle fierté d'être français ! La foule est comme une houle, mouvante, profonde, changeante.

Les chefs des maquis poitevins sont là. Au premier rang, je reconnais Marc, lui aussi me reconnaît, il me fait un signe de la main. Ses hommes sont derrière lui. Je pense immédiatement à une illustration d'un de mes livres, représentant une troupe de brigands déguenillés, pénétrant dans un village. Je connais certains d'entre eux et cependant aujourd'hui ils me font peur. Mon père est parmi eux, j'ai du mal à le reconnaître. Où est-il cet homme que je trouve si beau, si élégant, dont j'aimerais tant me sentir aimée. Ce n'est pas lui cet homme sale, hirsute, avec des grenades attachées à la ceinture, une mitraillette à l'épaule, un foulard rouge autour du cou et un béret crasseux sur la tête.

Je baisse les yeux quand il passe devant moi, le cœur serré.

La troupe passe. Là-bas, la nature des cris a changé, ils se rapprochent : ce sont des injures. Ceux qui chantaient tout à l'heure, le visage rayonnant, ont maintenant les traits déformés par la haine. Je cherche la main de Blanche et je la serre très fort. Les cris se rapprochent, m'enveloppent. J'ai peur. Trois ou quatre femmes sont maintenant devant nous. Leurs cheveux sont tondus, on leur a collé des mèches de leurs propres cheveux sur le menton, sur les joues. Du sang coule de la bouche d'une des filles ; elles pleurent, essayant de se protéger des coups que certains leur donnent malgré les hommes qui les encadrent. Une seule marche la tête haute, les yeux secs. Le soleil brille, il fait si beau.

« Putains, salopes, chiennes, fusillez-les », hurle une voix près de moi. C'est la mère C. rendue hideuse par la haine, qui s'élance le poing tendu vers les malheureuses, elle crache à la figure de la plus fière. Je suis envahie de honte, j'ai envie de vomir, mon visage ruisselle de larmes. Je crie en m'agrippant à Blanche :

« Non, non. »

Elle semble soudain comprendre que ce n'est pas un spectacle pour une enfant, d'autant que la mère C. commence à frapper la fille, encouragée par la populace. Blanche nous reconduit à la maison, ma sœur et moi. Chantal me regarde sans comprendre, elle est trop petite. J'ai le corps secoué de sanglots.

Les mots et les caresses de Blanche ne servent à rien, je la repousse. Je monte au grenier et je me recroqueville sur le vieux lit-cage, rabattant sur moi un vieille couverture. Là, je prends conscience de ma solitude face aux grandes personnes, de ma petitesse. Depuis le Noël des verges, je me méfiais d'elles, je les savais méchantes, menteuses, quelquefois lâches, mais maintenant elles me font peur. La transformation, devant moi, de la foule heureuse et bon enfant en une populace hurlante et cruelle, me blesse d'une manière irrémédiable.

Plus jamais je ne pourrai faire partie d'un groupe, appartenir à un parti. Les masses populaires me font peur et me dégoûtent. Cette populace était cependant composée de gens gentils, paisibles, gais, généreux. Leur réunion a donné naissance à un monstre à mille têtes, hurlant, crachant, mordant, déchirant. Je crie dans la couverture, je ne veux pas devenir grande, je serais comme eux, je ne veux pas. Mais comment y échapper ? Je suis trop petite, pour imaginer que je puisse en grandissant être différente. Je crois que les grandes personnes sont toutes semblables. Mais la hideur de ce devenir me révolte. Comment ne pas grandir ? Je me tourne vers Dieu, je le supplie de me laisser enfant ou alors de m'emmener avc lui. Puisque dans son pays tout n'est qu'amour.

Mon père monte et veut m'embrasser. Je le repousse. J'ai bien vu qu'il était comme les autres, sinon, il n'aurait pas besoin de mitraillette, d'un béret sale et d'un foulard rouge. Je le hais.

Blanche réussit à me faire boire une infusion calmante et à me mettre au lit.

Pendant longtemps, j'ai rêvé que la mère C. me poursuivait pour m'arracher les cheveux en me traitant de putain. Pressentais-je déjà que, moi aussi, un jour, je serais prise à partie et battue par des mégères ?

UNE des joies de mon enfance campagnarde aura été d'accompagner mes cousines et leurs amies au bal.

La veille, elles se lavaient les cheveux et se mettaient des bigoudis. Dès l'aurore, elles étaient sur pied pour se laver et repasser leur robe. Dans chaque ferme régnait un va-et-vient de filles énervées, en combinaisons roses ou à fleurettes, à la recherche d'un ruban ou d'un peigne en chantonnant.

Elles partaient vers trois heures de l'après-midi à vélo. Je grimpais sur le porte-bagages de l'une d'elles sur lequel Lucie avait attaché un coussin.

Elles s'élançaient sur la route dans une envolée de robes claires et fleuries, les jupes bien étalées pour ne pas les froisser.

Très vite, elles se mettaient à chanter à tue-tête, retrouvant aux carrefours d'autres groupes de filles.

Nous arrivions rapidement sur les lieux de « l'assemblée » où se tenait le bal, tant leur hâte leur avait donné la force de pédaler et de monter les côtes comme en se jouant.

Les vélos garés contre une haie, après une vérification dans leur petite glace de poche, de l'échafaudage de leur coiffure, elles avançaient vers le parquet, la tête haute, le regard lointain. A l'entrée, on leur mettait à l'intérieur du poignet un cachet prouvant qu'elles avaient payé.

Après la lumière éclatante du jour, on avait du mal à s'habituer à la semi-obscurité qui régnait sur le parquet. Quand l'œil s'était accoutumé, on distinguait, dans la salle encore à moitié pleine, quelques couples qui dansaient, surtout des filles entre elles. Les garçons se tenaient gauchement debout devant l'orchestre composé d'un accordéoniste, d'une batterie et d'un piano. Là, le tango et la marche régnaient en maître avec de temps en temps, pour être à la page, des danses à la mode comme la samba et le bebop que ces campagnards ne savaient pas danser. Seuls quelques garçons et filles de la ville osaient s'essayer à ces danses. La valse restait

à l'honneur, mais peu de garçons savaient la
danser. On s'arrachait un bon valseur.

Les filles, assises sur les bancs autour de la
piste, parlaient entre elles en attendant un cavalier.

Entre chaque danse, l'orchestre faisait une
petite pause. Les filles et les garçons se sépa-
raient et allaient rejoindre ceux de leur sexe,
d'un côté les filles, de l'autre les garçons. Rares
celles qui osaient rester près de leur cavalier,
sauf si c'était leur fiancé.

Dès que l'orchestre attaquait une nouvelle
danse, les garçons se précipitaient sur la fille
de leur choix, se redressant fièrement si elle
acceptait, ou s'en retournant l'air piteux si elle
refusait.

La salle se remplissait peu à peu. Il régnait
une chaleur de plus en plus grande, rendant les
visages luisants et les aisselles des filles humides.
Je me faufilais entre les couples. J'aurais aimé
qu'un garçon me fasse danser, mais cela était
exclu, j'étais trop petite. Pour me faire plaisir,
une des filles avec qui j'étais venue me faisait
faire un tour de piste, mais se lassait très vite.
Dépitée, je sortais du bal et j'allais me promener
dans les prés où étaient installées les baraques

de l'assemblée, buvettes et stands de tir. Là, attablés devant de longues tables, des hommes buvaient du vin rouge ou de la bière en discutant de leurs affaires. Quelquefois l'un d'eux m'appelait en disant :

« Tiens, mais c'est la petite à la Lucie, viens donc boire une limonade. »

C'était souvent un ancien amoureux de Lucie qui m'interpellait ainsi. Il se mettait alors à parler d'elle et, comme tous ceux qui étaient là, la connaissait aussi et souvent l'aimait ou l'avait aimé, ils écoutaient en hochant la tête.

« La Lucie, ça c'était une belle fille et une bonne femme. L'Alexandre, il a eu de la chance, le bougre. Une femme pareille, c'est pas souvent, vingt dieux, qu'on en rencontre ! Intelligente en plus, elle lisait au moins un livre par jour, vous vous rendez compte. Mais, attention, son travail, il en souffrait pas, première levée, dernière couchée. Et au lit, une « sacrée femelle », sûrement. Ah, si elle avait voulu... mais son Alexandre, elle l'avait dans la peau. Le sacré veinard. »

Les autres renchérissaient. J'aimais bien les entendre parler ainsi de Lucie.

Plus tard, moi aussi, je suis venue danser sur les parquets. Mais j'étais devenue une petite sotte de la ville, me moquant des garçons rougeauds et maladroits et des filles que je trouvais niaises et mal habillées.

Plus tard, bien plus tard encore, je suis revenue danser sur les parquets. Beaucoup de choses avaient changées. D'abord l'orchestre. Il était loin le temps où deux ou trois pauvres musiciens, jouant souvent faux, s'évertuaient à faire danser les filles et les garçons. Aujourd'hui, une dizaine de musiciens aux instruments sophistiqués, à la sono éclatante, entraînent les danseurs dans un rythme effréné ou langoureux. Je préfère les danses langoureuses.

Au début, les garçons sont intimidés ; je ne suis pas d'ici. Enfin, un se décide et je me retrouve dans les bras d'un garçon sentant la savonnette et l'eau de Cologne bon marché. Il s'enhardit peu à peu et me serre contre lui. Ne sentant pas d'opposition, il accentue sa pression.

Je me laisse aller, tout au plaisir de sentir un corps d'homme contre moi. Je sens son sexe se dresser. J'aime cet hommage. Je me frotte un peu contre lui. Les plus hardis de mes cavaliers m'embrassent dans le cou et cherchent très vite mes lèvres. Si le garçon me plaît, j'accepte le baiser, sinon, je le repousse en riant.

Nous sortons prendre un verre. Le garçon, pour bien montrer sa bonne fortune, me tient par la taille. Nous buvons en nous regardant. Je cherche à deviner s'il fait bien l'amour, si sa queue est telle que je les aime, longue, dure et forte. Je prends sa main d'homme des champs. Ce sont les mains que je préfère. J'aime leur rugosité sur mes seins et sur mes fesses. Nous retournons danser et s'il me plaît vraiment, s'il sait maintenir mon désir, je le suis dans les bois ou dans les champs.

J'aime faire l'amour les nuits chaudes d'été, dans la nature à la lueur des étoiles. Je m'allonge dans l'herbe ou sur la mousse, je tends les bras, j'ouvre mes jambes et je fais don au ciel de mon cri de plaisir.

BLANCHE me traitait volontiers de garçon manqué avec, semblait-il, un soupçon de fierté. Il est vrai que mon comportement ne ressemblait guère à celui des autres fillettes de mon âge. Certes, je jouais à la poupée, à la marchande et à la dînette avec plaisir, cependant mes jeux favoris étaient des jeux « de garçons » auxquels je me livrais avec une violence qui laissait ceux-ci loin derrière moi.

Durant tout le temps où nous vécûmes à Limoges, je fus le chef incontesté d'une petite bande surtout composée de garçons. Ils m'avaient accepté pour mon audace à escalader les murs du jardin, à sauter de très haut, à aller loin dans les abris à moitié effondrés, pour mon culot avec les gardiens du jardin que je rendais véritablement enragés, pour la facilité avec laquelle je me battais et aussi, il faut le dire, pour mon charme. Après m'être battue comme un voyou, je redevenais avec les garçons de la bande douce, fragile, coquette. Aucun ne me résistait. Le plus vieux d'entre nous, François, qui avait bien treize ans, était mon amoureux déclaré et mon second. Sachant mon amour des livres, il en volait dans les librairies de la ville pour me les offrir. Il alla même jusqu'à me prêter ses « Signes de piste », ce qui était me reconnaître comme étant digne de lire des livres réservés aux garçons. Allongés à plat ventre de chaque côté d'un banc, nous nous plongions avec délices dans les aventures du prince Eric. Je rêvais de rencontrer ce prince, beau et généreux. Je lançais des regards de côté à François. Il ressemblait au héros de Serge Dallens. Si mon aptitude à me battre était très appréciée des gamins du jardin d'Orsay, il n'en était pas de même de Mlle Berthe, la directrice de l'école Sainte-Philomène où nous allions, ma sœur et moi.

Il y avait dans ma classe une grosse fille qui comme moi aimait les bagarres. Nous ne pouvions pas nous supporter et à chaque récréation, nous essayions de nous donner des coups de pied, de nous tirer les cheveux ou de nous pincer. Les institutrices, sachant cela, s'arrangeaient

pour avoir constamment l'une de nous près
d'elles. Malgré cela, elles n'évitaient pas toujours les heurts. Comme nous étions sans cesse
punies à cause de ça, nous décidâmes un jour
d'un commun accord que nous réglerions nos
comptes en dehors de l'école. Ainsi fut fait.
Pendant près d'une semaine, il n'y eut pas de
jour où nous ne rentrâmes chez nous sans un
tablier déchiré, une manche arrachée, le visage
griffé, des cheveux emmêlés. Nos mères se
plaignirent à la directrice. Mais que faire, sinon
nous changer d'école. Il n'en était pas question.
Nous fûmes avec nos mères convoquées dans le
bureau de Mlle Berthe et, là, on nous ordonna
de faire la paix sous peine de terribles sanctions
pour l'amour de Jésus et de la Vierge Marie.
Nous dûmes nous embrasser sous l'œil attentif
et sévère de Mlle Berthe. Nous la redoutions
tellement que nous tînmes notre promesse.
Mais il fallut qu'elle fût scellée par le sang pour
qu'elle devînt effective.

Un jeudi matin du mois de mai, dans les
allées du jardin d'Orsay, je promenais ma poupée dans son landau. J'étais dans un de mes
rares jours de douceur. Je parlais à mon bébé,
je le prenais dans mes bras, lui donnant un

biberon imaginaire. J'étais une petite maman parfaite. J'aperçus Geneviève, qui venait vers moi en sautant à cloche-pied. Forte de notre promesse, j'allais vers elle, poussant la voiture et tenant ma poupée dans mes bras, comme j'avais vu faire de vraies mères. Je lui souris. Elle se mit à ricaner en me regardant fixement avec ses yeux très noirs :

« Tu as l'air maligne de jouer encore à la poupée. »

Je haussai les épaules sans répondre en continuant à avancer.

« Oh ! qu'elle est bête. Oh ! qu'elle est bête. »

Je marchais très raide, les larmes aux yeux. Ah, si je n'avais pas fait cette promesse ! Je décidai de quitter le jardin, j'allai vers la sortie, elle me suivit et tout d'un coup, donna un coup de pied dans ma voiture. Je poussai un cri de rage, jetai ma poupée par terre et me précipitai sur elle. Je l'agrippai par les cheveux, lui bourrant les jambes de coups de pied, cherchant à lui mordre le nez. J'étais dans une telle colère que je ne sentais pas ses coups. Nous roulâmes sur une pelouse en pente. A travers les grilles, les passants nous observaient en riant. Je l'avais prise à la gorge et je lui cognais la tête sur le sol. Elle parvint à m'échapper, je la rattrapai devant l'escalier, je l'empoignai à nouveau par les cheveux. Maintenant elle pleurait, elle me demandait pardon, disant que j'avais gagné. Je n'entendais plus, je voulais la tuer. Pourquoi m'avait-elle attaquée, pourquoi n'avait-elle pas respecté sa promesse ? D'une brusque poussée, je la jetai dans l'escalier. Je la vis rebondir sur les marches de pierre en criant. Elle resta sur la dernière marche sans mouvement.

Sans le moindre regret, je me détournai. De l'autre côté de la grille, Mlle Jeanne me regardait avec horreur, je soutins son regard. Prenant ma poupée et mon landau, je partis sans un regard à la malheureuse Geneviève, que l'on relevait. Je rentrai à la maison comme si rien ne s'était passé. Je racontai n'importe quoi à maman pour expliquer l'état de mes vêtements. Blasée, elle n'essaya pas d'en savoir davantage.

Le lendemain, je fus à nouveau convoquée dans le bureau de Mlle Berthe. J'y allai sans peur, indifférente. Les parents de Geneviève étaient là. Son père fit un mouvement vers moi comme pour me gifler, sa femme le retint.

« Cette petite est un monstre, elle a failli

tuer ma fille. Elle est au lit pour au moins quinze jours. Cette enfant mérite la maison de redressement. Et regardez-la, en plus elle sourit. »

Ce devait être vrai, tant j'étais contente à l'idée de ne plus voir cette sale fille. Pour une fois, Mlle Berthe me parla doucement pour me demander ce qui s'était passé. Je racontai les faits. Les parents ne voulaient pas me croire, mais Mlle Jeanne, qui nous regardait depuis un moment avant que n'éclatât la guerre, confirma mes dires. Je lui en fus très reconnaissante et de ce fait m'appliquai de mon mieux, par la suite, à la satisfaire par mon travail. Mlle Berthe me renvoya en classe. Les élèves étaient déjà au courant et me regardaient d'une manière craintive, disant que j'avais voulu tuer Geneviève. Aux récréations, personne ne voulut jouer à la marelle ou à la balle avec moi. Telle était la consigne : ne pas lui parler, ne pas jouer avec elle. J'éprouvai une grande peine. J'allai m'enfermer dans les cabinets où je pleurai tout le temps que dura la récréation. Les yeux rouges, je regagnai ma place dans les rangs.

Dans la classe, on me fit changer de pupitre. Je m'installai avec mes affaires, seule, au dernier

rang. Je devais y rester jusqu'aux grandes vacances.

Quand Geneviève revint, elle fut très entourée par les enfants. Elle me lança un regard
apeuré et plus jamais ne s'approcha de moi.

J'avais le cœur gros d'être ainsi exclue.
Mlle Jeanne essaya d'adoucir ma punition mais
n'osa pas trop me manifester de sympathie, de
peur de s'attirer les reproches de Mlle Berthe.

Malgré mon affection pour elle, et mes
efforts, je travaillai très mal cette année-là.

Malgré les exhortations de Blanche, les gronderies affectueuses de Lucie, je n'arrivais pas à
me corriger et à ressembler à la petite fille de
leurs rêves. Ni les punitions, ni les promesses
de cadeaux si je « devenais plus gentille »,
ni les gifles ou les fessées, ne vinrent à bout de
mon désir farouche d'indépendance et de liberté.
Deux choses interdites aux petites filles, surtout
à celles élevées par les servantes de Dieu, chez
qui il n'était question que « d'abandon entre les
mains du Seigneur », d'acceptation de Sa Volonté sans chercher à comprendre. Comment un

enfant pouvait-il admettre qu'il fallait remercier Dieu en toutes circonstances, même et surtout si l'on était malheureux ? Partout où se portaient mes regards, mes pensées, je me heurtais à l'*obéissance*. OBÉIR était le mot clef de toute notre éducation. Je ne pouvais obéir sans comprendre. Je pense que si l'on avait fait appel à mon intelligence, si l'on avait tenté de m'expliquer le pourquoi de certaines règles sociales, sans doute en aurais-je observé volontiers quelques-unes. Mais vouloir par la force et l'autorité me faire admettre que l'on doit respecter ce que l'on méprise, ou aimer ce que l'on hait, c'était pour moi impossible.

Seule, Lucie arrivait à obtenir de moi certaines concessions, uniquement en faisant appel à mon bon sens, vertu dont nous n'étions dépourvues ni l'une ni l'autre. Mais, même à elle, je ne pouvais pas parler. Depuis le Noël des verges, j'étais empêchée de dire mes peines, mes doutes, mes peurs et mes joies aux adultes, comme aux enfants de mon âge d'ailleurs. Je gardais tout ça pour moi, vivant avec une impres-

sion d'étouffement, de solitude envahissante.
Combien de fois ai-je voulu mourir étant enfant ? Je ne sais plus. Comprenait-elle, ma mère,
les jours où elle m'arrachait de la fenêtre que
j'enjambais au quatrième étage ? Quand elle
m'appelait doucement, lors des promenades
aux bords de lacs ou de rivières. Quand assise,
sans mouvement, le regard fixé sur l'étendue
liquide, j'avais comme un mouvement du corps
pour m'y jeter ? Ou quand je revenais ruisse-
lante de pluie, longtemps après l'heure où je
devais rentrer à la maison ? Quand j'avais des
crises de rire ou de larmes ? Que savait-elle de
mon désespoir de me sentir si peu comprise,
donc si peu aimée, qui me faisait me précipiter
sous les troènes du jardin public, appelant la
mort de toutes mes forces et avalant une herbe
ressemblant à du cerfeuil que l'on m'avait dit
être de la ciguë et qui ne me donnait même pas
mal au ventre. Je me mourais du manque
d'amour.

Ce fut la naissance de ma petite sœur qui
brisa le fragile lien qui m'unissait à mes parents.
Je détestai tout de suite ce bébé. N'avais-je pas
vu maman pleurer tout le temps que son ventre
était gros. Pourquoi ? Je n'en savais rien, mais

je liais ces larmes à cette naissance. Au fur et à mesure que Chantal grandissait, je me mis à refuser les caresses de mes parents qui peu à peu cessèrent tout geste tendre envers moi, ce qui me désespéra et m'enferma plus profondément dans la solitude. Jamais plus, ni eux ni moi ne pûmes retrouver les rapports tendres et confiants de ma petite enfance.

L'amour ? C'est ce qui manque le plus aux enfants. Même les plus tendrement aimés ne le sont jamais assez. Une fois devenus grands ils chercheront, dans une interminable quête, à combler ce vide, sans jamais réussir à assouvir leur désir. D'où leur mal de vivre. Les grandes personnes peuvent composer, compenser, les enfants jamais. Tout ce qui leur arrive est immédiatement ressenti, même s'ils n'en montrent rien. Leur pouvoir de dissimulation concernant leurs émotions est immense et l'on découvre, quelquefois des années plus tard, la marque irrémédiable d'un geste, d'une parole. C'est trop tard, le mal est fait et rien ne peut l'effacer.

J'accumulais dans mon enfance de ces mar-

ques-là. J'en connais certaines, les autres, je les
ai tellement bien enfouies que seule une psycha-
nalyse pourrait les faire resurgir. A quoi bon ?
Il faut vivre avec ses connaissances et ses igno-
rances. Tout le reste n'est que du temps perdu
et une complaisance envers soi-même qui me
fait horreur.

Je suis cependant souvent émue au souvenir
de l'enfant que j'étais. Il aurait fallu si peu de
chose pour éviter tant de souffrances intérieures.
Mon avidité à vivre, à comprendre, à aimer,
était telle que je vivais dans un état de vibration
permanent. Je sentais que les hommes m'aime-
raient mieux, qu'ils sauraient mieux comprendre
ce besoin de caresses, d'amour. Que d'eux me
viendraient des révélations. D'abord, ils jouaient
avec leur sexe, je n'avais jamais vu de femme
en faire autant ; ils me le montraient, ils me le
faisaient toucher, et cela me plaisait bien et me
faisait au ventre une crispation agréable. J'ai
longtemps regretté que les lois, les morales, les
mœurs, interdisent les rapports sexuels entre les
petites filles et les hommes. Je suis sûre que
l'enfance se passerait mieux, sans les angoisses
liées à la puberté, si on faisait l'amour aux
petites filles qui en ont manifestement le désir.

C'était mon cas. J'éprouvais tant de bonheur quand un homme me prenait sur ses genoux, oncle, cousin, ami ; j'aurais pu rester de longues heures ainsi, toute à l'attentif plaisir de sentir la chaleur de l'autre me pénétrer. Mais trop vite, l'oncle, le cousin ou l'ami, me posait à terre. J'essayais bien de m'accrocher à lui, mais il me repoussait en riant. J'ai observé que le chat Noiraud fait la même chose et que comme l'oncle, le cousin ou l'ami, nous le chassons. Peut-être, comme moi, a-t-il besoin de la chaleur de l'autre. Je ne chasserai plus le chat.

MALGRÉ tout, mon besoin de contacts hu-
mains était tel que j'essayai à maintes
reprises de m'intégrer à des groupements
d'enfants, du patronage au scoutisme. Mais
au bout de quelques mois ou de quelques
jours j'abandonnais, déçue par le manque de
rigueur morale (par exemple, si l'on me disait
que le mensonge était considéré par le groupe
comme une abomination, je me faisais un point
d'honneur de ne pas mentir, et je ne comprenais
pas que mes compagnes n'en fassent pas autant)
et surtout, j'étais incapable de supporter une
autorité, d'obéir à des personnes que je n'avais
pas choisies et que je n'aimais pas. Si bien qu'au
cours de promenades, de courts séjours au bord
de la mer, je restais seule, jouant avec des galets,
des coquillages, de la terre glaise ou des branches. Heureusement, il y avait les livres. Partout

où j'allais, que ce soit pour une heure, un jour
ou une semaine, je me cherchais une « maison ».
Quelquefois, le creux d'un buisson faisait l'affaire, d'autres fois, le renfoncement d'un rocher.
Si javais assez de temps, j'entreprenais la construction d'une cabane avec des branchages et
de l'herbe. Quand j'avais trouvé l'endroit idéal,
je me glissais dans mon refuge, bien cachée
aux yeux des autres, et je passais de longues
heures à lire ou à rêver. C'est chez Lucie que
j'eus la « maison » la plus confortable et la
mieux cachée.

Sous un très grand hangar où étaient entrepo-
sées de vieilles charrues, des charrettes, des tom-
bereaux et différents outils nécessaires au travail des champs, j'avais découvert, derrière des
tas de fagots, de longues et lisses planches de
bois. Au prix d'énormes efforts, j'avais réussi à
déplacer les fagots et à appuyer les planches les
unes auprès des autres contre le mur, formant
une sorte de toit. Une planche moins longue
que les autres, posées sur deux pierres, faisait
une table très convenable ; un escabeau à qui il
manquait un pied, remplacé par une branche
solide, un très bon siège ; de vieilles couvertures,
dérobées au grenier, me servaient de lit et des

sacs de pommes de terre de tapis, une vieille car-
pette de portière et une ou deux bougies étaient
fichées dans des bouteilles posées sur ma table
où s'alignaient mes livres préférés. Un vase
ébréché contenant des fleurs des champs, ma
poupée sur le lit, me faisaient là un foyer doux,
et confortable. J'avais remplacé les fagots, dissi-
mulant ainsi ma construction à tous les regards.
Même Lucie mit plusieurs mois à découvrir ma
retraite. J'y passais de longues heures, lisant,
jouant à la poupée ou pleurant. Les longs après-
midi de pluie, je dessinais, à la lueur des bougies. Je ne rentrais que quand l'humidité
m'ayant pénétrée, je tremblais trop et que mes
doigts me refusaient tout service.

« Mais où était cette enfant », disait Lucie
en me poussant vers la cheminée.

En dehors de la ferme de Lucie, cette maison
était la seule où je me sentais chez moi. Aucun
des appartements, meublés ou non, où j'ai passé
mon enfance ne m'a donné l'impression de sécu-
rité, que me donnaient ces quelques planches
inclinées au-dessus de ma tête.

Lucie se contenta de rire et de hausser les
épaules quand elle découvrit ma cabane ; ce
n'était pas grave, je ris aussi. Mais elle en parla

à Lucienne, à mes cousines, à mes parents. Et les visites qu'ils me rendirent en se moquant « de mon palais », non seulement me blessèrent, mais me firent éprouver le sentiment d'une intolérable violation. Leurs regards avaient abîmé, sali ma « maison ». Sitôt leur départ, armée d'une hache, je détruisis tout. Le bruit des coups attira Lucie qui m'arracha brutalement l'instrument tranchant. Elle me prit dans ses bras, m'éloigna d'elle en me tenant par les épaules et me regarda, me semblait-il, comme si elle me voyait pour la première fois :

« Pourquoi, petite, pourquoi ? »

Une brusque bouffée de haine m'enveloppa. J'avais envie de la casser elle aussi avec la hache. Pourquoi avait-elle parlé ? Elle, elle pouvait savoir, elle pouvait venir me voir car je croyais qu'elle comprenait mieux que les autres puisqu'elle était la seule à lire des livres. Ce lien était donc faux. Même la complicité par les livres n'existait pas ! Ne cherchait-elle pas refuge, elle aussi, dans certains creux du rocher, sous le couvert d'un bois particulièrement touffu ? Jamais je ne l'avais dérangée, jamais je n'en avais parlé. Je trouvais normal qu'elle s'isole avec ou sans une lecture. Pourquoi ne

m'avait-elle pas sentie comme elle ? Je me sau-
vais en larmes. Pour me consoler, le soir, au
dîner, elle m'avait fait des beignets aux pommes
dont j'étais particulièrement friande. Je refusai
d'en manger.

« Jamais contente », bougonna Lucienne en
agitant ses casseroles.

Lucie lui fit signe de se taire. Je grimpai dans
le grand lit sans dire bonsoir. Très vite, Lucie
me rejoignit. Malgré ma résistance, elle m'attira
contre elle :

« Elle n'était pas très belle, ta maison, tu
sais, petite ? Tu connais la vieille cabane à
outils au fond du jardin, celle près du grand
cerisier ? Eh bien, je vais te la faire arranger.
J'y mettrai une vraie table, une chaise et je te
prêterai une lampe à pétrole. Ça, c'est une vraie
maison. »

Je n'eus pas le courage de lui dire que ma
cabane détruite n'était peut-être pas une vraie
maison, mais que c'était celle que j'avais choi-
sie, construite et que déjà le souvenir l'embellis-
sait. Je savais pourtant que ce qu'elle me propo-
sait là était de sa part un important cadeau. Ni
elle, ni aucun de ses enfants n'avaient possédé,
étant petits, « leur » maison.

Aménager la cahute du jardin en maison de poupée, en quelque sorte, était tout à fait contraire à l'esprit qui régnait à la ferme où tout, des objets aux personnes, n'existait qu'en fonction de l'utilité ou du travail. Transformer une cabane à outils en salle de jeux ne pouvait être considéré par les gens de la campagne que comme une chose folle et ridicule.

Lucie tint bon ; elle m'aménagea ma maison, y ajoutant un très joli verre gravé à mon prénom. Ce cadeau m'enchanta.

Mais je n'arrivais pas à me sentir à l'aise dans ma nouvelle maison. Elle était trop en vue et suscitait trop de curiosité. Le village entier me rendit visite en me félicitant. Heureusement, la rentrée des classes approchait ; une nouvelle fois, mes parents déménageaient et nous serions trop éloignés pour rendre visite à Lucie aussi souvent qu'auparavant. C'était la première fois que j'étais heureuse de la quitter. Par la suite, nos rapports devinrent moins affectueux, plus critiques de ma part, plus durs de la sienne. J'abordais un âge qui n'était plus celui de l'enfance, pas encore vraiment celui de l'adolescence. Cette grande fillette, vêtue de robes claires, aux cheveux roux trop frisés, tour à tour trop silencieuse ou trop exubérante, se frottant comme une chatte en chaleur aux hommes et aux garçons, dévalisant le potager et le verger, jouant avec les lapereaux ou les poussins, ce qui faisait pousser à Lucienne de grands cris, rôdant des heures durant dans les chemins creux à la recherche d'on ne savait quel rêve, se baignant nue dans le lavoir, et nue toujours se couchant au soleil, tout cela l'irritait. Elle ne comprenait plus. Elle boudait comme une enfant, j'avais l'impression qu'elle était jalouse et qu'elle ne voulait plus jouer avec moi. Je grandissais trop vite. C'est l'enfant qu'elle aimait, pas la fille. Les livres restèrent notre seul lien. Plus tard, je lui en apportai. Cela lui faisait très plaisir, bien quelle regrettât les anciens romans, disant que ces écrivains « modernes » ne savaient plus écrire ni raconter des histoires. C'était sans doute vrai.

Nous ne nous parlions jamais de nos lectures autrement que par un « tu devrais lire ». Cela changeait du dirigisme des autres grandes personnes. J'aimais cette liberté, cette tolérance face aux livres que pendant longtemps je n'ai rencontrées que chez elle. Blanche, mes parents, les professeurs, aimaient et conseillaient les lectures

« utilitaires », celles qui « servent à quelque
chose » et ne faisaient pas « perdre du temps ».
Lucie aimait le romanesque ; comme enfant elle
avait aimé les contes de fées, ces livres érotiques
des petits enfants que maintenant on leur
conteste.

Je tiens de Lucie mon goût pour les longues
marches sous la pluie. A quoi cherchait-elle à
échapper quand s'enveloppant d'un long châle,
sabots aux pieds et parapluie noir en main,
elle partait par les chemins détrempés, coupant
parfois à travers champs, escaladant un muret,
s'asseyant quelques instants sous un gros arbre,
presque cachée par le grand parapluie, les bras
entourant ses genoux, le regard vague. Je l'ai
suivie quelquefois. Se doutait-elle de ma présence ? En tout cas, elle n'en faisait rien paraître. Par quelle bizarre appréhension n'osais-je
pas m'approcher d'elle, me mettre à l'abri sous
le grand parapluie, lui tenir la main ? Assez vite,
j'abandonnais ma poursuite, grelottante dans
mes vêtements alourdis par l'eau, les boucles de
mes cheveux raidies, les lèvres bleues et le bout
des doigts fripés.

Lucienne m'accueillait à grands cris, me déshabillait, me frictionnait vigoureusement et me mettait, enveloppée dans une couverture, dans le fauteuil de paille, devant la cheminée. Elle me faisait boire du lait chaud parfumé de quelques gouttes de rhum. Quand, longtemps après, Lucie rentrait, Lucienne me désignait de la main en bougonnant. Je distinguais le mot « folle ». Qui était folle, Lucie ou moi ? Lucie s'approchait de moi, un sourire triste et las aux lèvres, elle me regardait pensivement. Ces jours-là, ses gestes étaient plus lents comme si la pluie qui ralentit toute chose l'avait atteinte dans ses mouvements. C'était comme l'image d'un film projeté au ralenti. Je voyais sa main grossir jusqu'à mon visage et disparaître le long de ma joue. La main était glacée. Je la prenais entre les miennes et tentais de la réchauffer. Elle s'asseyait alors à mes pieds, sa main restant dans la mienne, devant l'âtre, en fredonnant un air qui ressemblait à une berceuse. Lucienne qui manipulait toujours les instruments de cuisine avec bruit, faisait ces jours-là plus de bruit que jamais comme pour manifester sa réprobation. Elle tendait à Lucie un bol de lait au rhum. Lucie le buvait à petits coups, elle le lapait plu-

tôt, tant sa manière de boire m'évoquait le chat
Noiraud. Un peu de couleur revenait à ses joues
pâles, elle retirait son châle qui commençait à
fumer. La pièce était pleine de buée, le sol
boueux. La nuit tombait. On n'entendait que les
bruits de la pluie, du feu et des casseroles de
Lucienne.

Ces soirs-là, je n'étais qu'attente. De quoi, je
n'en sais rien. J'attendais, c'est tout.

Lucie se relevait en se tenant les reins, tra-
versait la pièce et, ouvrant la porte de son
armoire, prenait un des deux livres qui s'y trou-
vaient toujours en permanence : *Les Médita-
tions* de Lamartine et *Les Contemplations* de
Victor Hugo. Elle revenait s'asseoir près de
moi et lisait les vers à haute voix. Les mots
merveilleux apportaient la paix, une douceur
étrange m'envahissait, tout faisait silence, même
Lucienne.

La beauté de ce souvenir, si fort encore en
moi, m'envahit de regrets : être encore auprès
de Lucie près d'un feu de cheminée, la pluie et
la nuit à la porte, la maison chaude et accueil-

lante et cette voix, modulant les mots des poètes.

« O temps, suspends ton vol...

« Laisse-nous savourer les trop brèves délices des plus beaux de nos jours... »

Oh, Lucie...

J'ai redécouvert Lamartine, l'année dernière, en me promenant sur les quais avec ma fille. C'était dans la même édition que celle de Lucie. Je l'ai achetée, émue, et, tout en marchant, je lisais des vers à Camille. Les mots, toujours les mots, m'envahissaient, me débordaient, l'enfant me tirait par mon manteau, me guidant parmi les passants, heureuse de ce nouveau jeu, l'accentuant même en me faisant tourner autour des platanes du quai. Je voulais lui communiquer mon émotion, c'est son rire qui me répondait.

Mon goût de la marche sous la pluie est un peu différent de celui de Lucie, mais uniquement parce qu'elle habitait la campagne et moi la ville. Il m'arrive, comme elle, de marcher des heures durant, abritée moi aussi par un grand parapluie noir. J'erre sans but, d'une rue à une place, d'un jardin à un cimetière, d'un pont sur la Seine à un pont sous le métro. Mes haltes sont de pauvres cafés où je demande des grogs ou du chocolat chaud. Je me détends sur les banquettes de moleskine, engourdie peu à peu par la chaleur et les bruits du café. La pluie ruisselle le long de la vitrine et crépite lourdement sur le trottoir. « Oh, le bruit de la pluie par terre et sur les toits. » Même à Paris, on entend le bruit de la pluie. Des bribes de poèmes me reviennent à l'esprit, pas toujours les meilleurs, qu'importe. La poésie est là, dans ce café, dans le reflet d'un feu rouge dans une flaque d'eau. Je marche silhouette noire dans la nuit qui descend. La ville devient peu à peu silencieuse. La nuit, à Paris, quand il pleut, les rues sont presque désertes. Elles m'appartiennent. Et je me faufile sur les traces de Restif, de Gérard de Nerval, de Breton, d'Aragon, d'André Hardellet, de tous ces piétons de Paris, qui, comme tous les amoureux, recherchent l'ombre pour mieux communiquer avec la ville aimée.

Quand un de ces amoureux en rencontre un autre, ils s'évitent d'un commun accord. Leur passion est trop haute, pour supporter le moindre partage. En effet, partage-t-on un coucher de soleil sur la Seine quand le Louvre, devenu rose, rivalise de beauté avec la coupole de verre du Grand-Palais, ou que le Pont-Neuf n'est qu'une subtile harmonie de gris, ou que Saint-Eustache semble vouloir s'envoler au-dessus du trou des Halles ?

Dans ces déambulations solitaires, il m'arrive de croiser une silhouette qui m'évoque irrésistiblement celle de Lucie ou celle de Blanche. Leurs fantômes m'accompagnent, nous devisons du temps passé, je redeviens l'enfant à l'affût de leurs gestes, de leurs mots. Le fantôme de Blanche frissonne quand nous marchons le long du canal Saint-Martin, je sens sa main qui me retient, qui me tire loin de l'eau noire et attirante. Elle préfère m'entraîner vers la place des Vosges dont la forme close la rassure. Elle s'assied près de moi sur un des bancs du square. En regardant les enfants jouer, elle me parle des pauvres jeux de son enfance.

C'est le long des quais, dans les petites rues montantes de Montmartre, que je rencontre le plus souvent le fantôme de Lucie. Je le sens penché par-dessus mon épaule quand je fouille les boîtes des bouquinistes. Je sens son impatience si je m'attarde trop longtemps à une boîte qui ne l'intéresse pas.

Au petit bal de la place du Tertre, son pied bat la mesure près du mien et je vois passer le fantôme roux et léger emporté par une valse dans le tourbillon de sa robe noire.

Plus le temps passe, plus je sens Blanche et Lucie près de moi. On dit, dans mon Poitou, que quand on pense souvent à ceux qui sont morts c'est qu'ils vous appellent. Le temps serait-il venu de les retrouver ? Je ne le crois pas, trop de choses restent à connaître, trop de livres à lire, trop d'hommes à aimer, d'enfants à naître et à bercer.

La mort est tentante quand le cœur et le corps sont las. Mais la vie est si bonne. Lucie m'a donné son appétit de vivre avec ardeur et mélancolie, avec Blanche j'ai appris à regarder le temps couler sans impatience et sans regrets. L'équilibre est maintenu entre le désir de vivre et celui de mourir.

Blanche, Lucie, mes belles, mes aimées, j'ai envie de vous revoir.

Nous attendrons encore un peu.

Cet ouvrage a été réalisé par la
SOCIÉTÉ NOUVELLE FIRMIN-DIDOT
Mesnil-sur-l'Estrée
pour le compte des Éditions Fayard
en juin 1995

Imprimé en France
Dépôt légal : juin 1995
N° d'édition : 9203 - N° d'impression : 31182
ISBN : 2-213-59336-0
35-33-9363/01-9